idées
reçues

L'Intégration

idées
reçues

L'Intégration

Azouz Begag

Économie & Société

Le Cavalier Bleu
EDITIONS

Azouz Begag

Fils d'immigrés venus d'Algérie en 1950, il a passé son enfance dans un bidonville de Lyon, puis les HLM. Chercheur au CNRS, spécialiste en socio-économie urbaine, il est cofondateur des Clubs Convergences, fondés en 2002, dont l'objectif est de sortir de l'anonymat les réussites de l'immigration. Il est aussi écrivain.

Du même auteur

– *Le Gone du Chaaba*, Seuil, 1986.
– *Quartiers sensibles* (en collaboration avec Ch. Delorme),
  Seuil, 1994.
– *Espace et exclusion. Mobilités dans les quartiers périphériques d'Avignon*, L'Harmattan, 1996.
– *Place du Pont ou la médina de Lyon*, Autrement, 1997.
– *Du bon usage de la distance chez les Sauvageons*
  (en collaboration avec R. Rossini), Seuil, 1999.
– *Les Dérouilleurs*, Mille et Une nuits, 2002.
– *Le Théorème de Mamadou*, Seuil Jeunesse, 2002.

La collection « Idées Reçues »

Les idées reçues sont tenaces. Nées du bon sens populaire ou de l'air du temps, elles figent en phrases caricaturales des opinions convenues. Sans dire leur origine, elles se répandent partout pour diffuser un « prêt-à-penser » collectif auquel il est difficile d'échapper...

Il ne s'agit pas ici d'établir un *Dictionnaire des idées reçues* contemporain, ni de s'insurger systématiquement contre les clichés et les « on-dit ». En les prenant pour point de départ, cette collection cherche à comprendre leur raison d'être, à déceler la part de vérité souvent cachée derrière leur formulation dogmatique, à les tenir à distance respectable pour offrir sur chacun des sujets traités une analyse nuancée des connaissances actuelles.

Vous souhaitez aller plus loin ? **www.ideesrecues.net**

INTÉGRATION [ɛtegʀasjɔ̃] **n. f.** — le terme apparaît en 1309, avec la signification de rétablissement, qui n'a plus cours aujourd'hui. Repris en 1700 dans le vocabulaire des mathématiques, ce n'est que plus tard qu'il sera utilisé pour désigner l'action d'incorporer un élément dans un ensemble. À partir du milieu du XXᵉ siècle, « intégration » s'emploie couramment pour parler de l'opération par laquelle un individu s'incorpore à un milieu, à une collectivité, par opposition à la ségrégation qui désigne la séparation de droit ou de fait de personnes en raison de leur race puis de leur niveau d'instruction ou de leur condition sociale. On distingue généralement deux modèles d'incorporation des populations étrangères dans un pays : l'*intégration,* placée sous le signe de l'échange, dans laquelle la diversité est considérée comme source d'enrichissement et dont la bonne marche dépend des deux parties, et l'*assimilation,* dont l'étymologie renvoie à l'idée de rendre semblable et qui suppose l'identification à la population d'accueil. Dans cette perspective, le terme d'*acculturation* désigne le processus par lequel les populations étrangères adoptent les valeurs de la culture du pays d'accueil. La rencontre de deux populations est toujours un choc et ne va pas sans heurts. Les modèles proposés, qui tentent de passer sous silence les conflits inhérents à l'entrée en contact de deux populations, ne peuvent rendre compte de la complexité du phénomène. L'intégration consiste sans doute à devenir partie *intégrante* de la société, mais à quel prix ?

Introduction 9

S'intégrer

Intégrer l'autre

Intégration et politique

Conclusion

Annexes

Introduction

*Il m'arrive d'intervenir dans des lycées pour raconter
mon métier de journaliste reporter. (...)
Dans la classe, je repère toujours les Français d'origine
maghrébine. Les garçons, souvent, me demandent
« combien ça gagne, un journaliste » et si, « avec un nom
arabe, ce métier ne pose pas de problèmes ».
Les filles, elles, « comment on y arrive » (...)
Je dis seulement ce qui, hier, m'apparaissait inaccessible
et qui nomme maintenant ma réalité présente.
Et je précise que je signe bien de mon nom.*

Souâd Belhaddad, *Entre-deux-je*, 2001

Janvier 2003. Hier, dans le train qui m'emmenait
à Paris, j'ai rencontré Karim avec qui j'avais fait
des études à l'université de Lyon il y a une vingtaine
d'années. Nous avons parlé d'*intégration*, et notamment de la *pseudo* communauté maghrébine de
France, qui existe plus dans le regard des indigènes,
les *Français de souche,* que dans la réalité, tant elle
est marquée par d'importantes différences entre
Algériens, Marocains, Tunisiens ou encore Kabyles,
Arabes, musulmans... et nous avons convenu que la
précision des mots est capitale quand on parle d'intégration, qu'il convient souvent d'encadrer de guil-
lemets ceux aussi chargés que « communauté »,
« indigène », « étranger », « immigré », « Français de
souche », « musulman », « arabe ». Pour éviter les
pièges des idées reçues posés sous chacun d'eux,
celui du simplisme, de l'amalgame, de la généralisa-
tion, il est indispensable de respecter le préalable de
la complexité.

Dans le train qui filait entre les collines de Bourgogne, de toutes les impressions que me livrait Karim, l'une révélait un changement radical de mentalité depuis une génération : aujourd'hui, affirmait-il, les jeunes d'origine immigrée qui ont socialement réussi osent inscrire sur leurs cartes professionnelles leur prénom en entier, alors qu'auparavant seule l'initiale était mentionnée pour tenter de dissimuler leur origine. A. pour Abdallah, M. pour Mohamed. C'est dire à quel point l'auto-amputation identitaire était la règle il y a quelques années en France pour nombre d'individus marqués, stigmatisés, discriminés par leur faciès, leur nom, leur adresse dans un quartier dit « chaud ». Je suis de cette génération qui a subi les humiliations, celles des « refoulés » devant les entrées de discothèques, des agences de location d'appartements où on ne loue secrètement qu'aux « BBR » (« bleu-blanc-rouge »), des contrôles de police abusifs et provocateurs. J'ai connu des jeunes qui devenaient blonds en se décolorant les cheveux avec de l'eau oxygénée pour ressembler aux blancs, d'autres qui louaient des appartements grâce à des prête-noms à consonance gauloise. Dans les années soixante-dix, l'ambiance intégratrice était de type Michael Jackson : la métamorphose esthétique pour devenir invisible. Transparent. Le 11 septembre ne s'était pas encore produit, mais les cicatrices de la guerre d'Algérie étaient encore toutes fraîches…

Les choses ont changé depuis une génération. En bien : la France s'est suffisamment métissée pour que les personnes issues de l'immigration affichent désormais leur prénom en entier. Le déni de ses origines n'est plus de mise, au contraire. Il a fait jaillir ces dernières années un fulgurant désir d'affirmation de son identité originelle. Au fameux « *black is beautiful* » des Noirs américains dans les années soixante-dix, a succédé une époque « black-blanc-beur » en France dans les années quatre-vingt. L'islam a émergé comme élément revendicatif structurel de l'identification des jeunes des quartiers.

Mais les choses ont aussi changé en mal. La dislocation identitaire – la désintégration – d'une partie de ces jeunes s'est accentuée avec la dégradation de la situation économique, le chômage dans les quartiers sensibles qui est supérieur à la moyenne nationale, l'affaiblissement des valeurs fondamentales du « contrat social », la perte chronique de sens qui traverse les sociétés de consommation : sens des mots travail, respect, éducation, durée…

Disons-le d'emblée, la question de l'intégration des immigrés est aussi celle de la France en mouvement, du bouleversement de ses repères identitaires, des inégalités sociales, des discriminations, de l'exclusion. Aussi conviendra-t-on que ce processus ne peut se dérouler sans frottement, sans échauffement, sans conflit, car pour s'intégrer il faut être deux, s'accepter mutuellement, s'accorder de la considération, admettre la nécessité des compromis. Se connaître et se reconnaître. La reconnaissance sociale est au cœur de ce débat.

S'INTÉGRER

« L'intégration fait partie de l'esprit français. »

Tous les citoyens, étant égaux (...), sont également admissibles à toutes dignités, places et emplois publics, selon leur capacité et sans autre distinction que celle de leurs vertus et de leurs talents.

Article 6 de la Déclaration des droits de l'homme et du citoyen, 1789

Retour à 1789. C'est là que tout s'est joué. La Révolution française a voulu rebâtir une société et le corps politique sur l'idée que l'essence de l'homme, commune à tous, est la liberté. Elle a affranchi l'individu, détruit le pouvoir de droit divin et la domination aristocratique. Les textes constitutionnels et législatifs ont déroulé les conséquences de la « loi naturelle » selon laquelle il n'y a pas de différences entre les hommes à la naissance. L'esprit français d'intégration prend bien corps à ce moment clef de son histoire. En 1789, les privilèges personnels étaient abolis, les restrictions dans l'admission aux emplois, la dîme, les franchises territoriales ou les survivances du servage furent balayées. Suivirent les titres de noblesse.

Ces décisions historiques furent les premières pierres de l'élaboration du grand œuvre de la Constituante : la Déclaration des droits de l'homme et du citoyen votée le 26 août 1789, et qui sera le préambule de la Constitution de 1791. Cette Déclaration fonde la communauté nationale comme corps politique et définit les principes du « contrat social » qui deviendra plus tard « le pacte républicain ».

Elle donne la liste des « droits naturels, inaliénables et sacrés de l'homme » dont il dispose à sa naissance : « la liberté, la propriété, la sécurité et la résistance à l'oppression ». Les articles suivants de la Déclaration définissent l'égalité devant la loi, dans l'accès des citoyens aux emplois publics, la non-rétroactivité des lois, la présomption d'innocence pour les prévenus, la liberté d'opinion, la liberté d'expression, l'égalité devant l'impôt, la garantie du droit de propriété, la nécessité d'une force publique pour assurer le respect de ces droits. Ceux-ci sont toujours inscrits en tête de la Constitution de 1958.

Ainsi sont nés en 1789 les droits et les devoirs du citoyen ordinaire, qui sont les fondements historiques de ce que nous appelons aujourd'hui citoyenneté, et qui concernaient dès l'origine non pas seulement les Français, mais l'homme dans son acception universelle. Il résultait que les étrangers jouissaient eux aussi des droits fondamentaux proclamés en 1789, à charge de se plier aux mêmes devoirs que les Français.

Depuis la révolution de 1789, il existe donc un « esprit français » dans lequel tous les citoyens sont considérés selon un ferme principe d'égalité, sans distinction de race, de classe, de sexe, de religion, sur les seuls critères de la vertu et du mérite personnel. Ces principes fondamentaux sont fermement inscrits dans la mémoire collective du pays. Depuis lors, on n'est pas censé faire de distinguo *a priori* quand on parle des Français, car tous les citoyens sont considérés comme étant égaux dans la société et devant être traités sans discrimination.

Le moins qu'on puisse dire, c'est que ce mythe de l'égalité parfaite rend complexe la situation des

« Français de couleur », visibles socialement, en particulier ceux d'origine maghrébine ou africaine, qui subissent des discriminations dans l'emploi, le logement ou d'autres services… mais qui peuvent difficilement le prouver juridiquement – la charge de la preuve reposant sur eux –, voire en parler sans que les indigènes se sentent irrités par ce que l'on nomme parfois avec mépris le « sentiment victimaire ». Prenons un exemple marquant : si on compare l'équipe de France de football, composée presque exclusivement de Français de couleur, à l'Assemblée Nationale où siègent essentiellement des blancs, on est bien amené à se poser la question de cette dissemblance, et notamment celle de l'absence de représentation politique des premiers. La couleur du citoyen français serait-elle devenue au cours des décennies un élément discriminant ? Évidemment, la réponse est positive. Et on touche ici un trait marquant de la psychologie française : dans l'hexagone, on a du mal à exprimer clairement la réalité des inégalités, des discriminations, parce qu'elle est irritante et qu'elle contredit le principe d'égalité auquel les Français seraient fortement attachés et qui est supposé former le ciment de notre société. Tout se passe donc comme si le réflexe était de dire : « Impossible, cela ne peut être ! »

Dès lors, on aboutit à des situations confuses comme en ce qui concerne la « politique de la ville », par laquelle on espère agir en faveur des immigrés sans les prendre en compte, et on place le résultat escompté – la fin de toute discrimination fondée sur l'origine – au point de départ de l'action : ne faisons rien qui soit particulier à ces populations ! Le résultat de cette posture d'autruche, comme le dénonce brillamment Jean Faber dans *Les Indésirables,* est que « dans l'administration française, personne, ou presque, ne s'occupe de l'intégration des immigrés. Sur les 4 millions de fonctionnaires et d'agents publics recensés grossièrement, on en comptera selon les méthodes entre 500 et 1 000 qui travaillent dans le domaine. Qu'on ne s'étonne pas que le modèle d'intégration dysfonctionne, si personne n'est chargé de l'administrer. »

Ce type de tabou a longtemps oblitéré le débat sur les obstacles à l'intégration des étrangers ou des Français de couleur à propos desquels, en silence, tout le monde s'accorde à reconnaître qu'ils sont victimes de préjudices graves, souvent dus au « délit de faciès », mais qu'on répugne à prendre en compte ouvertement sous peine de provoquer le courroux des indigènes. Intolérables, le racisme, la discrimination et la distinction en France-pays-des-droits-de-l'homme ne sont pas censés exister, donc ils n'existent pas. Il est inutile de conduire une politique spécifique aux immigrés, plaideront les républicains, parce que les institutions sont les meilleurs vecteurs de leur intégration et qu'il suffit de les laisser faire. Contester cette logique provoque immédiatement la suspicion d'être hostile au principe d'égalité, communautariste, partisan des particularismes, autrement dit hostile au généreux universalisme de la révolution de 1789.

Étonnez-vous par exemple de l'absence de présentateurs de couleur à la télévision, et jaillit immédiatement la riposte républicaine : « Vous vous trompez, il n'y a pas de racisme : regardez, il y a Rachid Ahrab ! » Le nom de ce journaliste d'origine algérienne travaillant sur la chaîne de télévision France 2 est tiré du chapeau magique pour illustrer la thèse du bon fonctionnement de la « machine à intégrer ». Ce réflexe de défense du creuset français mérite qu'on s'y arrête : c'est toujours l'exemplaire unique auquel on se réfère pour contrer le constat de la sous-représentation des minorités ethniques à la télévision, ou en politique, où l'on citera volontiers le nom de l'ancien ministre de l'intégration Kofi Yamgnan, d'origine togolaise. C'est le principe que nous avons nommé « l'Arabe qui cache la forêt ». Pour éviter de voir l'ampleur des problèmes dans la forêt, on extrait de son chapeau un exemplaire d'immigré décrété « bien intégré » et on l'exhibe comme validation de l'efficacité du modèle français d'intégration. Il l'a fait, donc les autres peuvent le faire aussi ! À chacun sa chance.

La réalité est plus complexe et moins automatique que cela. On a le sentiment que, considérée d'individu à individu, l'intégration en France a toujours assez bien fonctionné. C'est quand il s'agit du groupe, de la minorité, du collectif, que les relations sociales se compliquent et que les Français montrent leur scepticisme à l'égard des autres et de leur capacité à enrichir l'identité nationale. Faire accepter l'égalité des droits entre nationaux et étrangers n'est jamais gagné, surtout quand il s'agit de la politique et de la religion.

« S'intégrer, c'est pourtant simple ! »

*Notre pays n'est pas et ne sera jamais
l'addition de communautés juxtaposées.
Le bien public n'est pas et ne sera jamais
l'addition d'intérêts particuliers.*

Jacques Chirac,
Allocution télévisée du 31 décembre 1997

En matière de peuplement, la France diffère des États-Unis puisque les immigrés qui y sont entrés pour travailler depuis plusieurs décennies n'avaient pas prévu d'y faire souche et que, parallèlement, les responsables politiques français n'ont jamais anticipé le fait qu'ils allaient rester. Cette absence d'anticipation a placé la société dans une situation inextricable au début des années soixante-dix, quand les premières grosses secousses économiques ont commencé à remettre en cause la présence de travailleurs immigrés sur le sol français et que leurs enfants sont apparus, bruyamment, sur la scène publique.

Du point de vue politique, on s'est contenté de gérer des stocks, des flux de main-d'œuvre, comme si la question des mouvements de populations du Sud vers la France avait été conduite au gré des besoins fluctuants de l'économie et que les Français avaient vécu dans l'idée que les immigrés étaient en transit chez eux. L'ambiguïté de la question de l'intégration prend sa source dans cette défaillance de vision politique à long terme et s'illustre très bien dans la terminologie employée pour en désigner les sujets et l'objet : assimilation, incorporation, adaptation, insertion, acculturation, communautarisme… émigrés, immigrés, étrangers, allogènes, jeunes des banlieues, jeunes d'origine immigrée, jeunes issus de l'immigration, jeunes immigrés, Franco-Maghrébins, Franco-Algériens, musulmans…

Si les mots charrient avec eux leur lot de confusion, en revanche l'image qu'on se fait de l'immigré est plus monolithique. En France, en effet, le rapport à l'étranger fonctionne toujours sur le mode de la domination : pauvre, besogneux, l'immigré incarne le sous-prolétaire soumis économiquement et culturellement, pas par hasard puisque cette image a été produite par le couple dominant-dominé, Nord-Sud, hérité de la « mission civilisatrice de la France » de l'époque coloniale. Il perdure toujours. Aujourd'hui, dans l'imaginaire collectif, les immigrés sont facilement amalgamés aux Arabes, aux musulmans, aux Africains, soit à des gens de couleur, reconnaissables physiquement et socialement. On en oublie qu'un Américain, un Suédois ou un Islandais qui vit et travaille en France peut aussi être un immigré, un étranger. La dérive sémantique qui s'est produite ces dernières années a eu tendance à désigner de plus en plus l'autre selon son appartenance religieuse ou ethnique. De même, quand on évoque en bloc « les jeunes des banlieues », on ne pense pas aux jeunes en tant que tels, mais aux enfants d'immigrés d'origines noire-africaine et maghrébine. Il s'agit d'une référence implicite à l'origine ethnique de ces citoyens.

On entrevoit déjà que la chose ne sera pas facile à démêler. Qu'en est-il au juste de ladite politique d'intégration ? De quoi s'agit-il au fond ? Y aurait-il un code de l'intégration tel qu'il y a un code de la route, susceptible d'être appris par chaque citoyen et qui reposerait sur un apprentissage commun, un examen, des sanctions en cas de non-respect ? Inutile de chercher la réponse. Dans cette politique d'intégration à la française, tout est dans le général, le non-dit, le présupposé, l'implicite. Des pouvoirs publics aux partis politiques traditionnels, aucune instance dirigeante n'a vraiment « géré » la présence étrangère en France et ce sont toujours les principes de fermeture des frontières et de rejet de l'altérité qui ont fondé les politiques à court terme. Plus les contours du processus de l'intégration ont été maintenus dans le flou, plus les codes de l'« être intégré » ont dérivé vers des simplifications démagogiques, des négations de l'histoire.

C'est l'opposition entre intégration et assimilation qui a toujours été la plus mise en valeur dans les discours. Les partisans de la première défendent l'idée que la diversité est source d'enrichissement et prônent le droit à la différence comme ouverture sur le monde en signe de modernité. Pour eux, le déni de reconnaissance des minorités peut s'apparenter à une forme d'oppression. Tandis que les défenseurs de l'assimilation situent le processus par rapport au modèle français, laïque et égalitaire et fondé sur l'autonomie de l'individu dans son rapport à l'État et à la société, et non pas à l'ethnie ou l'origine ethnique. L'assimilation implique, selon la démographe Michèle Tribalat, chercheuse à l'INED, la résorption et la réduction des spécificités migratoires, des pratiques sociales, culturelles et religieuses.

Dans la France jacobine, on est par essence hostile aux organisations qui médiatisent la relation du citoyen à l'État, d'où la suspicion à l'égard des groupes d'intérêt. Par nature impartiaux, ces groupes ont toujours été vus en contradiction avec l'intérêt général, *a fortiori* s'ils sont le fait d'étrangers qui, jusqu'en 1981, date de l'arrivée au pouvoir de François Mitterrand, ne disposaient pas du droit d'association. En France, les mots « ethnie », « minorité ethnique », « minorité » ont une connotation quasi subversive, alors qu'ils sont si communs dans les pays anglo-saxons.

Aux États-Unis, en Angleterre, en Hollande, en Allemagne, les minorités ethniques sont maintenues dans un statut à part, au sein d'organisations communautaires localement homogènes et autocontrôlées. Leur reconnaissance politique permet à la communauté de servir d'intermédiaire entre l'individu et la société où il entre. Elle part du postulat que les intérêts particuliers des groupes sont inévitables dans une société et qu'il vaut mieux tenter de les prendre en compte et de les équilibrer, plutôt que de les délégitimer. Dans la pensée politique américaine, par exemple, les institutions médiatrices entre le citoyen et l'État ont toujours été soutenues pour contrebalancer la puissance de l'État. En revanche, le reproche qui est généralement fait au modèle libéral anglo-saxon est qu'il n'a guère de moyens de réagir face aux ségrégations et aux inégalités qui se creusent entre les communautés juxtaposées, surtout les plus pauvres et les moins qualifiées.

Avouons tout de suite qu'en France, les moyens dont on a disposé au cours des dernières décennies n'ont pas non plus permis de raffermir les bords du creuset de l'intégration et d'empêcher certaines dérives. Le modèle dit « communautariste » peut sembler plus pragmatique que celui qui prévaut en France, où il suffit de se demander *dans quoi* il est question de s'intégrer, au juste, pour comprendre l'abstraction du sujet. *Qui* déclare que l'on est intégré ou pas ? Quand on n'est pas Français « de souche », a-t-on droit à des écarts de conduite ?

Combien? Avec quelles pénalités? Des retraits de points de son « permis d'être ici »? Y a-t-il une échelle de graduation de l'intégré: mal, moyen, bien, très bien, exemplaire? Toutes ces questions restent pendues au bout de la langue...

« La langue est un puissant facteur d'intégration. »

Pour extirper tous les préjugés, développer toutes les vérités, tous les talents, toutes les vertus, fondre tous les citoyens dans la masse nationale... il faut identité de langage.

Abbé Grégoire,
Rapport sur la nécessité et les moyens d'anéantir les patois et d'universaliser l'usage de la langue française, **juin 1794**

Oui, la maîtrise du français est indispensable pour se fondre dans le creuset français. Elle s'accompagne presque toujours de la perte de la langue d'origine, pour tous les groupes de migrants, peut-être plus pour les Maghrébins que pour les autres, du fait du fort analphabétisme qui caractérisait les premières vagues migratoires de l'après-guerre. Quand on s'intègre, on gagne mais on perd aussi. Aux États-Unis, le phénomène de déperdition de la langue maternelle a été très rapide entre les seconde et troisième générations d'immigrants, comme l'a montré une étude datant de 1960. Par exemple, en deux générations, le nombre d'Américains d'origine italienne parlant italien est passé de 2 300 000 à 147 000 ; celui d'Américains parlant yiddish de 422 000 à 39 000 ; pour les Polonais, les chiffres sont de 1 516 000 à 87 000 ; pour les Suédois, de 187 000 à 17 000... Mais, du fait notamment de la présence de nombreux Mexicains au Texas, de Colombiens et Cubains en Floride, l'usage de l'espagnol est en progression dans ce pays, ce qui constitue une nouveauté et un point majeur de différence avec la France où l'on imagine mal pour le moment les annonces dans les aéroports faites en breton quand on arrive à Brest, en alsacien quand on atterrit à Strasbourg ou en arabe quand on débarque à… Marseille !

La langue est un facteur important qui forge les perceptions et attitudes des individus dans la société d'accueil. La perte de la langue maternelle ne signifie pas l'abandon des marques de la culture d'origine, mais à coup sûr elle constitue une rupture du cordon ombilical avec le passé culturel transmis par les générations précédentes. Elle marque une phase décisive dans le processus d'assimilation. Aux États-Unis par exemple, la quatrième génération de migrants est la première à avoir été élevée dans des familles où la langue de la culture d'origine était complètement abandonnée. En France, l'évolution suit la même tendance. Si les jeunes d'origine algérienne comprennent encore un peu l'arabe ou le berbère, un sur trois ne le parle pas. La transmission aux enfants ne se fera bientôt plus du tout et le français deviendra leur unique langue maternelle. Seuls les Turcs marquent une résistance à l'acculturation en continuant de parler leur langue dans les familles.

Ici, pour s'offrir un petit retour sur l'histoire, il est intéressant de faire remarquer que l'intégration des étrangers en France n'a pas toujours été conditionnée par la maîtrise de la langue nationale, notamment aux lendemains de la révolution de 1789. En effet, tandis que des cortèges d'aristocrates quittaient la France révolutionnaire pour les États monarchiques voisins, les libéraux du monde entier tournaient les yeux vers Paris. Par un décret du 26 août 1792, l'Assemblée Nationale, considérant que les hommes, qui, par leurs écrits et par leur courage, avaient servi les causes de la liberté et préparé l'affranchissement des peuples, ne pouvaient être regardés comme étrangers par une nation, déféra le titre de citoyen français à des personnalités tel Thomas Paine, célèbre révolutionnaire anglo-américain. Alors qu'on brûlait ses livres en Angleterre tandis que ses *Droits de l'Homme* connaissaient un triomphe en France, il devint citoyen français et fut élu en 1792 représentant du Pas-de-Calais. À cette époque, il vivait encore en Angleterre et – comble de l'intégration ! – à son arrivée en France il ne parlait ni ne comprenait le français. Certes il s'agit d'un cas particulier, mais surtout d'une occasion de dire que la maîtrise du français n'a pas toujours été une condition rédhibitoire de la citoyenneté, dans l'histoire de la formation de la nation française.

Deux siècles plus tard, les enjeux de la maîtrise du français dans une perspective d'intégration des étrangers ou des Français « de l'autre côté du périph' » ont considérablement changé de nature. Plus que « facteur d'assimilation », elle est un outil majeur pour limiter les discriminations, notamment à l'embauche, des individus victimes du « délit de faciès ». En effet, depuis plusieurs années déjà, journalistes et chercheurs ont analysé un phénomène socio-urbain nouveau : la « langue des banlieues ». Le parler des jeunes des quartiers sensibles, médiatisé par le théâtre populaire ou la télévision, la radio ou les caricaturistes… est-il le symptôme d'une société française en état de fragmentation avancée ? L'école, socle de la formation du citoyen français, n'aurait-elle plus la capacité d'assurer sa mission d'apprentissage des codes les plus standards de la communication sociale ? Devrait-on alors regretter le terrain conquis par l'inculture et son cortège de violences qui gagnent une partie de la population urbaine la plus défavorisée ? Ou bien y aurait-il au contraire matière à se réjouir d'un caractère inventif et/ou subversif de la langue des banlieues comme force de régénérescence du français classique ?

Ce que l'on peut affirmer, c'est l'existence d'une « identité de périphérique » qui se définit, *via* la médiatisation du « phénomène banlieue », dans une référence souvent réactive aux normes de la société centrale. Dans les quartiers sensibles, chez les jeunes d'origines maghrébine et africaine, les codes linguistiques présentent forcément quelques particularismes par rapport à ceux du centre. L'origine ethnique des jeunes les conduit souvent à parler à la maison avec leurs parents une langue (des bribes ou un sabir) différente du français et, de ce fait, à déformer, reformer la langue officielle apprise à l'école. Quand on croit parler deux langues, mais que l'on n'en maîtrise aucune suffisamment, surgissent aussitôt des confusions. Cet espace de confusion est le terreau du parler des banlieues. Un espace de malaise et de brouillage.

L'usage de codes linguistiques particuliers est également influencé par l'identité groupale, territoriale, de périphérie des jeunes. Comme ils ont tendance à se retrouver entre semblables, entre individus de la même origine ethnique, dans leurs déplacements comme dans leur immobilité, ils adoptent un langage de frontière entre le français et leur langue d'origine qui les situe de fait dans l'entre-deux, ni ici ni là, ni d'ici ni de là. Leur histoire partagée, leur même identité territoriale de « galériens » a fait naître entre eux un besoin de distinction sociale par la langue : le plaisir de défaire la langue officielle apprise à l'école, celle des adultes, mais aussi celle de la société des maîtres, peut aussi signifier une revendication de l'exclusion à travers l'usage d'un langage hermétique aux étrangers au groupe. C'est surtout par rapport à la police que cette attitude est la plus manifeste.

Dans ce contexte de fermeture, l'utilisation par un membre du groupe d'expressions ou de formes langagières appartenant à la société centrale, l'école, le centre-ville, les « Livres » (il parle comme un livre), équivaut à un signe de soumission à la société aliénante.

Sur le plan collectif, la langue des banlieues illustre bien le positionnement du groupe hors des cadres normatifs de la société. Dans une classe difficile de collège sensible, par exemple, le jeune a intérêt à se tenir à distance des enseignants et de leur programme, sous peine d'être traité de « bouffon », de « suceur » ou autre « lécheur » par certains de ses camarades. D'où sa difficulté à trouver une position médiane entre son groupe et l'institution.

Pour nous, la langue des banlieues est le signe d'un appauvrissement de la maîtrise des codes de la communication sociale. Elle symbolise aussi un repli et un effacement de l'individu au profit d'une soumission aux standards régressifs du groupe et son résultat est une stigmatisation accrue pour le jeune. À la première occasion qui s'offrira à lui de s'émanciper en se présentant à une embauche, seul, face à un employeur qui va le juger sur des signes extérieurs – les gestes, la tenue vestimentaire, la coupe de cheveux, la maîtrise de la langue –, les risques d'échec sont patents. L'accent de la banlieue constituera un préjudice et marquera l'adresse du candidat.

La langue des banlieues, présentée parfois comme un signe d'inventivité, paraît plutôt être un phénomène circonstancié, territorialement et socialement, et, à notre sens, incapable d'évolution. Apprendre à se défendre dans une société où l'on n'a pas trouvé sa place, faute de reconnaissance, passe par l'acquisition des codes qui règlent le jeu social de manière à les utiliser comme les autres, voire mieux. Parmi ces codes, la langue semble le plus précieux.

« L'intégration passe par le mariage mixte. »

Le mariage reste l'enracinement d'une personne dans un processus de civilisation. L'épreuve de l'altérité identitaire s'y enchaîne dans celle de l'altérité amoureuse.

Nacira Guénif Souilamas, *Des « Beurettes » aux descendantes d'immigrants nord-africains*, Grasset/Le Monde, 2000

Envisager l'avenir d'un pays du point de vue de ses capacités à intégrer ses immigrés aboutit nécessairement à examiner l'évolution des mariages mixtes. La signification de ces mariages va bien au-delà du simple passage d'un individu d'un système de références culturelles à un autre, mais touche aux solidarités groupales à travers les processus de transmission. Elle concerne aussi les frontières culturelles de la société française en formation, puisque ces enfants nés dans le creuset de la mixité participeront à leur tour à remodeler le contenu et l'esprit de la nation.

Selon les statistiques disponibles à l'INED (Institut national des études démographiques), en 1997, près de 50 % des Français d'origine algérienne épousent des Françaises, quand 25 % des Françaises d'origine algérienne épousent des Français. On peut en déduire que la mixité des populations d'origine maghrébine et autochtone va bon train. Pour les jeunes garçons d'origine portugaise, l'union mixte est de l'ordre de 60 %, ce qui tend à montrer que les deux types de population, l'une de culture musulmane et l'autre catholique, ne se comportent pas différemment sur le plan du métissage par le mariage.

Toutes choses égales par ailleurs, dans les pays d'immigration, malgré les spectres de la ghettoïsation et dudit communautarisme, les jeunes issus de différentes origines étant amenés à avoir de plus en plus de contacts les uns avec les autres, dans les établissements scolaires, au travail, dans les loisirs, et à partager *grosso modo* les mêmes valeurs et le même style de vie, les chances de voir se former des unions mixtes en sont d'autant accrues.

« L'épreuve du mariage clôt l'enfance et l'adolescence en des tonalités variées, écrit Nacira Guénif Souilamas à propos des « beurettes » : accomplissement, compromis, acquiescement. Même si cette épreuve se solde par un abandon (…), elle n'en demeure pas moins marquante, révélatrice du rapport de forces. En effet, selon que ce sera la mère, le père, la fille voire le fils ou toute alliance combinée qui emportera la décision, elle indiquera la redéfinition des statuts et des relations à l'œuvre. » Pour les garçons issus de l'immigration, c'est la rencontre avec une compagne d'origine française qui déclenche souvent le départ du quartier et l'émancipation vis-à-vis du groupe originel. Cette union constitue un tournant dans la trajectoire urbaine et sociale du jeune et va servir de relais pour amorcer et guider sa sortie hors de ses limites. Ainsi, quand il faudra rechercher un appartement de location, c'est la compagne française qui sera chargée de faire les démarches pour éviter les discriminations raciales susceptibles de pénaliser le partenaire d'origine immigrée.

Dans les familles immigrées, si le choix exogamique d'un partenaire est rarement un élément de rupture entre le garçon et sa famille, il l'est en revanche souvent pour les filles. Des entretiens que nous avons effectués en 2000 sur les *dérouilleurs* (individus issus de l'immigration et des banlieues qui ont réussi socialement), il ressort que beaucoup de filles qui avaient vécu une enfance conflictuelle avec leurs parents, après s'être enfuies du domicile familial, ont épousé un conjoint d'origine différente. Du coup, elles perdaient un père. Dans certains cas, pour satisfaire les parents et éviter les situations de rupture, les conjoints français se convertissent d'une manière formelle à l'islam, la difficulté venant du fait qu'une jeune femme musulmane ne peut pas épouser un non-musulman.

Mais là encore, il faut éviter l'écueil du simplisme et affirmer que les histoires individuelles (du père, de la fille) et familiales influencent beaucoup le fonctionnement des mariages mixtes. L'individualisme en vigueur dans les sociétés occidentales d'accueil pénètre peu à peu les systèmes de valeurs des immigrés et installe l'idée que l'émancipation des filles, à l'instar de celle des garçons, peut être source de bonheur et de confiance en soi. Dans les quartiers sensibles, pour reprendre les mots du poète breton Yvon Le Men, « le bruit court, qu'on peut être heureux ».

« Être intégré, c'est se faire discret. »

Comment voulez-vous que le travailleur français
qui travaille avec sa femme, et qui, ensemble,
gagnent environ 15 000 francs,
et qui voit sur le palier à côté de son HLM, entassée,
une famille avec un père de famille, trois ou quatre épouses,
et une vingtaine de gosses, et qui gagne 50 000 francs de
prestations sociales, sans naturellement travailler...
si vous ajoutez le bruit et l'odeur,
hé bien le travailleur français sur le palier devient fou.
Et ce n'est pas être raciste que de dire cela.

Jacques Chirac, discours prononcé le 19 juin 1991 à Orléans

Quel couple ne connaît pas de conflits ? Quels parents n'en connaissent pas avec leurs enfants ? Même entre soi et soi, pour suivre l'idée de Julia Kristeva dans *Étrangers à nous-mêmes*, l'idée du conflit est toujours présente dans la construction des identités. Le frottement entre les différences constitue le moteur du changement, de l'évolution, pourvu que l'un accepte un minimum l'idée de faire de la place à l'autre, à son étrangeté. Si l'on admet ces évidences, on peut alors se demander comment vivre ensemble sans tension quand on est plusieurs dizaines de millions sur le même territoire ! La vie ensemble (*a fortiori* dans les « grands ensembles »), par nature, produit des conflits. Le nier est un leurre.

L'indigène – si tant est qu'on en soit vraiment un ! – semble moins en mesure d'accepter l'émergence de conflits quand il s'agit « d'étrangers » que de son propre voisin de souche « gauloise ». Le déni de l'autre, qu'il soit handicapé, famille nombreuse, pauvre, clochard... et qui touche aussi l'étranger, revient à attendre de lui qu'il soit invisible, aveugle et muet... bref, qu'il soit là, docile, qu'il ne dérange pas ce qui préexistait avant son arrivée. Il est condamné à l'excellence sociale, pour être accepté. Autant dire que lui est dénié le droit d'être délinquant, médiocre, beauf, mauvais conducteur, de faire du bruit et sentir fort... Au fond, le leurre voudrait signifier cela : être intégré, c'est ne pas exister socialement, demeurer dans la virtualité et surtout ne pas être présent dans la réalité quotidienne. Rester à sa place.

En raisonnant ainsi, on voit bien qu'être intégré, c'est justement se fondre dans la normalité, la banalité. Aux dernières élections présidentielles de mai 2002, on a été surpris de constater que des Français issus de l'immigration votaient pour le Front National de Le Pen... Pourquoi cet étonnement ? Ne peut-on pas être sensible au discours lepeniste quand on est d'origine immigrée ? Doit-on toujours réagir et penser depuis son origine ethnique plutôt que de sa citoyenneté ? De son appartenance à un voisinage, à un espace urbain, un syndicat, une association de défense de la nature, des animaux... S'étonne-t-on aujourd'hui que des Français d'origine espagnole ou italienne accordent leurs suffrages au Front National ?

Plus l'autre devient semblable, plus sa proximité irrite son hôte et l'indispose. Le rejet s'exacerbe proportionnellement à la progression de l'intégration. Plus les Français se rendent compte que les immigrés sont en train de s'installer chez eux pour de bon, qu'ils adoptent les styles de vie d'ici, envoient leurs enfants à l'école, qu'ils deviennent des concurrents sur le marché du travail... et plus ils craignent ce rapprochement qui est une réduction incontrôlée des écarts. Plus l'étranger est proche, plus il devient angoissant, car agent de métissage, semblable et différent. Il se trouvera alors confronté aux discours sur l'invasion, le seuil de tolérance, la nostalgie de l'identité française perdue... Paradoxalement, il semble que ce soit avec les Maghrébins que l'inter-pénétration se passe le mieux, du fait de l'histoire commune dans la France des colonies, de la langue française partagée, des similitudes au sein des pays du bassin méditerranéen. Français et Maghrébins sont dans le même système de valeurs, ce sont des « adver-saires intimes ». En témoignent par exemple les taux de mariages mixtes. Le mélange est à l'œuvre, incontestablement. Mais, comme toujours, il ne va pas sans heurts et ces difficultés renseignent juste-ment sur l'intégration en marche. Là où aucun diffé-rend ne survient, il n'y a pas de frottement, pas de fusion.

Mais bien souvent, l'idée du conflit sert à justifier dans les médias ou les discours politiques l'impossible assimilation des immigrés, au point que leur réussite sociale, facteur de banalisation, n'est jamais traitée comme une information en soi, destinée au grand public. Ce traitement inégal est dû au fonctionne-ment même du marché de l'information qui privilé-gie les registres fantasmatiques et sensationnels de l'intégration, sous les titres racoleurs mêlant « état d'urgence », « malaise », « embrasement », « réseaux islamistes », « terrorisme » et les problématiques inter-rogeant l'avenir de l'identité française : « Serons-nous encore français dans trente ans ? » Pour s'appuyer sur l'actualité récente, on voit bien que la poignée de jeunes d'origine maghrébine des banlieues de France impliqués dans des réseaux islamistes internationaux sont beaucoup plus rentables médiatiquement que ceux qui, dans le même quartier, ont réussi des parcours exemplaires. Donc, à l'évidence, il y a deux poids deux mesures. Que l'on nous permette ici de poser cette question : combien de jeunes d'origine immigrée réussissent chaque année le bac ou un examen d'entrée dans une grande école ? On ne sait pas. On s'en moque. Et pourtant, n'est-ce pas là une information qui en vaut d'autres ?

« Les jeunes des banlieues
ne cherchent pas à s'intégrer. »

*Le problème, c'est les cailleras (racaille)
comme ils se surnomment eux-mêmes, confirme Antoine,
un Parisien de 24 ans. Je n'ai rien contre le type correct
venu ici pour bosser et s'intégrer. Le fait d'avoir différentes
cultures est une chance pour un pays. Mais les cailleras,
c'est différent, ils ne respectent rien.*

Le Monde, **27 mai 2002**

Pourquoi un immigré algérien de Strasbourg
ressemblerait-il à un immigré algérien de Marseille?
Pourquoi un Berbère aurait-il plus de dispositions à
s'intégrer en France qu'un Arabe? Trop souvent,
on voit les autres comme une armée de clones, de
semblables, du fait notamment de la peur de leur
nombre, alors que c'est toujours la diversité qui les
caractérise.

Des différences culturelles sensibles opposent les
cités de la banlieue parisienne à celles de province,
lyonnaise, marseillaise, strasbourgeoise ou lilloise.
Ainsi, certains mots comme « beur » ou « rebeu » n'ont
une validité qu'à Paris et dans ses banlieues périphériques, mais pas dans la région lyonnaise ou borde-
laise où le mot est rejeté comme une forme de
« parisianisme » déformant. On peut dire la même
chose de l'usage du verlan en général. Les mentalités
des jeunes issus de l'immigration sont souvent le
reflet des mentalités des régions ou des villes où ils
habitent. Tout comme leur accent. Il suffit de se
rendre au stade Vélodrome de Marseille, au Parc

des Princes à Paris pour mesurer les phénomènes d'identification à une ville, à une équipe de football, beaucoup plus qu'à un pays d'origine, celui des parents en l'occurrence.

Les distinctions existent aussi au sein d'un même quartier d'habitation. En matière de représentations sociales, de relations à la norme, de citoyenneté, mais aussi de rapport au territoire où l'on vit, nos analyses nous ont amené à établir une typologie des jeunes des quartiers sensibles en trois groupes distincts : les *dérouilleurs*, les *entre-deux* et les *cailleras*. Cette classification permet d'appréhender la diversité des situations d'intégration/désintégration et les conflits internes à ces groupes, même lorsqu'ils habitent dans le même immeuble. Nul argument ne permet de les amalgamer.

Ceux qu'on pourrait appeler les *dérouilleurs* sont invisibles dans la société. Ils ne font pas de bruit. Ils travaillent, bâtissent des projets pour l'avenir, bénéficient d'un support familial stable, d'une éducation, ils ont des valeurs fortes… Dans la mesure où ils ne font pas parler d'eux, ils ne sont généralement pas médiatisés, à l'exception de quelques cas de *success stories* dont l'actualité se fait parfois l'écho. Mais ces citoyens invisibles existent dans tous les quartiers, bien qu'ils aspirent généralement à en déménager pour se débarrasser des stigmatisations qui les affectent.

Les *cailleras*, ou *racailles*, en revanche, font couler beaucoup d'encre et suscitent bien des débats publics. On pourrait aussi les nommer les *désintégrés*. Ils sont fortement médiatisés du fait des exactions, des violences spectaculaires (incendies, destructions de véhicules, de mobilier urbain…) qu'ils commettent dans les quartiers. Sur le plan psychologique, ils n'ont la plupart du temps pas de vision d'eux-mêmes dans le temps, ont peu de respect du passé incarné par leurs parents et peu de capacité à se projeter dans le futur. Ils sont piégés dans la société de consommation, dans le monde de l'argent et du paraître. D'un point de vue géographique, ils utilisent le quartier comme base arrière, camp de retranchement, et cherchent à en faire un territoire hors-la-loi pour en éloigner les forces de l'ordre et faire régner leur propre loi. Leur stratégie relève de l'insularisation de leur quartier par rapport au reste de la ville. Les trafics de marchandises et de stupéfiants leur procurent sans effort la clef de ce qu'ils pensent être la véritable intégration dans la société de consommation : l'argent. Dès lors, ces jeunes prisonniers de la tyrannie du présent et de l'urgence, qui peuvent gagner des milliers d'euros par jour dans les circuits parallèles, ne sont plus « formatés » socialement. Façon de dire que la société n'a plus accès à leurs codes. Ils sont hors contrôle. Ce sont eux qui sont parfois désignés par des journalistes ou des hommes politiques sous les termes de « lascars », « grimlins », « caïds », « sauvageons »…

Les *entre-deux* naviguent entre le monde des *dérouilleurs* et celui des *cailleras* au gré des opportunités. Ils sont parfois séduits par l'univers de l'argent facile et de l'existence flamboyante véhiculé par les dealers, parfois par celui plus citoyen des *dérouilleurs* qui transmettent les valeurs traditionnelles, républicaines, de l'effort, du respect des parents. Ici, il faut signaler que c'est le rôle de l'éducation, de l'école en particulier, de former des jeunes qui vont rester du bon côté de la barrière sociale et défendre les valeurs fondamentales de la citoyenneté. Dans cet esprit, il est nécessaire de redonner du sens à la question de l'accumulation du savoir à l'école. Il serait également urgent de se rendre compte de l'ampleur des dégâts provoqués par les « affaires » en politique chez ceux qui s'estiment victimes d'une justice à plusieurs vitesses parce qu'ils sont pauvres et faibles.

« Pour pouvoir s'intégrer, il faut de l'argent. »

Le shit est une valeur sûre pour nesbi [business]
C'est lui qui apporte la caillasse
avec laquelle je survis...

« La Haine, musiques inspirées du film », 1995
in Jean-Pierre Goudaillier, *Comment tu tchatches !*, 1997

Quiconque connaît les quartiers sensibles et leurs populations sait qu'on peut difficilement caricaturer le « jeune de banlieue », mais qu'il paraît toujours plus correct d'évoquer « des jeunes » et « des banlieues » afin de nuancer les propos et les analyses qu'on tire à leur sujet. La stigmatisation passe par la simplification et l'insuffisante précision des mots utilisés.

À y regarder de plus près, on constate que ce qui se déroule dans les quartiers sensibles de France n'est pas radicalement différent de ce qui se joue dans d'autres quartiers défavorisés d'autres pays, sur tous les continents de la planète. Les dégâts sociaux provoqués par la confusion entre réussite personnelle et pouvoir financier sont tels qu'ils dépassent de loin le seul cadre de nos banlieues et des questions d'intégration. On peut les illustrer par cette anecdote : un jour, un animateur chargé de l'emploi des jeunes dans un quartier défavorisé rencontre l'un d'eux, inactif depuis des mois, et lui propose un emploi à occuper dès le lendemain. Et de lui préciser qu'il sera rémunéré 800 euros. Alors le jeune, spontanément, demande : « Par jour ? »

Plus de quinze ans de recherches socio-économiques sur les questions d'intégration nous ont amené à la conclusion que ces territoires sont des laboratoires à ciel ouvert des contradictions du système économique et social à la base de la société de consommation. Au cœur de ce système : l'argent. Ou bien la logique économique classique fondée sur l'idée de « faire de l'argent ». Ce qui se déroule dans les quartiers sensibles, c'est la dérive d'un système de consommation qui a érigé la monnaie en valeur-étalon, au détriment des autres. Alors qu'à l'origine, la monnaie dans la logique économique n'a été conçue que comme objet d'échange de marchandises, comme outil permettant des transactions faciles, elle est devenue une valeur en elle-même, déconnectée de la valeur du travail qu'elle est censée concrétiser.

Auprès des jeunes marginalisés, sa possession ouvre la porte de la société de consommation, le seul espace dans lequel ils espèrent gagner une reconnaissance sociale, la dignité qu'ils n'ont pas pu ou su trouver dans les autres sphères de la société. Avoir de l'argent et pouvoir ainsi s'offrir les signes de reconnaissance qu'il octroie – chaussures de sport américaines, vêtements de marques, voitures puissantes, décapotables, montres onéreuses, téléphones portables dernier cri… – illustrent combien chez certains jeunes des banlieues le « paraître » est un enjeu majeur dans la socialisation. L'obsession de l'accumulation financière compense un déficit d'identité personnelle et de confiance en soi. L'argent ne s'intègre pas dans un *continuum* qui donne du sens au travail humain. C'est cette rupture qui permet de comprendre pourquoi on retrouve si souvent chez les jeunes le leitmotiv « tout et maintenant », enraciné dans une urgence qui escamote le calcul à long terme, la patience, l'aléa, la projection de soi dans le futur, l'effort personnel, la responsabilité. Posséder de l'argent octroie une légitimité sociale qu'on n'a pas quand on est pauvre. La société de consommation reconnaît les groupes et les individus qui ont un « poids économique ». Qui « pèsent ».

L'argent permet aussi de surmonter l'obstacle des discriminations raciales. Les gens d'origine immigrée qui subissent le « délit de faciès » et qui sont victimes du racisme dans leur vie quotidienne, notamment en matière de location d'appartement, savent que s'ils se présentent dans une agence immobilière non pas pour une location mais pour… acheter *cash*, ils sont considérés différemment. Ils sont « vus » différemment. Ces vérités qui touchent les populations précaires et vulnérables montrent à quel point l'argent est devenu une valeur-refuge essentielle, qui a donné naissance à des comportements sociaux préjudiciables aux valeurs de la république, de la démocratie, voire de l'humanité.

Faut-il le répéter : les quartiers sensibles ne sont que le miroir des dysfonctionnements de la société de consommation. Ces lieux jouent comme un effet de serre. La société, basée sur la maximisation des profits des producteurs et de la satisfaction des « besoins » des consommateurs, a placé au cœur de son édifice la monnaie. Si pour les concepteurs théoriques de ce modèle d'organisation sociale, le travail et l'effort présidaient à l'enrichissement des individus et des nations, force est de constater que ces valeurs ont considérablement perdu de leur influence dans les sociétés urbaines contemporaines. Au jeune qui demandait à l'animateur si les 800 euros étaient une rémunération quotidienne, il faudrait donc parler de la qualité du travail proposé, lui apprendre à se développer, se fabriquer une utilité sociale. Car, en définitive, l'obsession de l'argent trouve sa source dans la solitude et l'ennui.

"

INTÉGRER L'AUTRE

« Certaines cultures s'intègrent mieux que d'autres. »

Il est faux de dire que nous avons bien intégré les immigrants européens, nous les avons tenus à l'écart, maintenus dans le communautarisme : même leur religion était facteur de différenciation, qu'ils fussent polonais ou portugais. À la première crise économique, nous les avons renvoyés par trains entiers (faute d'avions) et seul l'écoulement du temps a effacé les traces, parfois sanglantes, d'un refus d'intégration dans lequel leur catholicisme n'avait aucune place.

Jean Faber, *Les Indésirables. L'Intégration à la française*, 2000

Il n'y a pas d'intégration sans conflit. Or, souvent, dans les discours comparatifs sur l'intégration des différents groupes d'immigrés, on tente de mettre en parallèle leurs visibilités sociales respectives pour en déduire que les uns se sont « mieux intégrés » que les autres, sous prétexte qu'ils en avaient la volonté, ou bien parce qu'ils avaient la même religion, ou encore parce que culturellement ils sont plus respectueux des autres, moins belliqueux, etc. Ce type d'argumentation présuppose que les processus d'intégration doivent se dérouler dans l'harmonie et sans aucun frottement susceptible de provoquer des tensions. On citera volontiers les Asiatiques pour en vanter les qualités de respect absolu des valeurs de la République française, leur courtoisie à l'égard de leur hôte… en les comparant avec les Arabes, les Africains ou les Roumains !

Pour mettre en défaut cet argument culturaliste, on peut prendre l'exemple des Italiens à Lyon dont un courant traditionnel de migration existe avant 1914. Ils sont plus de 9 000 en 1891 et plus de 12 000 en 1911. Avec la Première Guerre mondiale, l'insuffisance de main-d'œuvre française oblige à un appel considérable d'ouvriers spécialisés et le contingent passe à plus de 28 000 en 1926. En quinze ans, leur nombre a doublé et l'accroissement de près de 16 000 individus représente alors plus d'un tiers de l'accroissement lyonnais. Certains secteurs de l'artisanat comme l'ébénisterie sont des lieux de prédilection pour l'ouvrier transalpin, plus habile et expérimenté que l'ouvrier français. Au début du XXe siècle, le quartier immigré de la Guillotière abrite de nombreux ébénistes à façon, se prêtant aux exigences des clients et n'hésitant pas à se déplacer très loin pour les satisfaire. Ateliers, épiceries, cafés, petites usines dirigés par des Italiens se multiplient. Ainsi prend forme l'intégration des Italiens dans le paysage de la rive gauche de Lyon.

Non sans conflits. En effet, le soir du 24 juin 1894, plusieurs milliers de Lyonnais se sont rué sur les cafés et les magasins italiens, quand le nom de l'assassin du président Carnot, Caserio, a été connu. L'émeute qui dura deux jours n'a pas fait de victimes, mais elle a contribué à chasser de la ville des milliers de Piémontais. Les temps marquant les « ratonnades » contre les « Ritals » ont souvent correspondu avec des relations politiques difficiles entre la France et l'Italie.

Les Italiens ont été singulièrement victimes de xénophobie en 1881 à Marseille et en 1893 à Aigues-Mortes où vivaient de nombreux ouvriers des salines et des usines chimiques du Salin de Giraud : brandissant des drapeaux tricolores et hurlant *La Marseillaise*, une foule déchaînée, armée de bâtons, pelles et fusils, tomba sur les Italiens et provoqua une énorme émeute. Bilan, plusieurs morts : de 8 à 50 selon les sources, et des blessés.

Au XIXᵉ siècle, à Lyon, où beaucoup de manœuvres Italiens arrivent pour les grands travaux, on s'inquiète du danger que représentent les mendiants et vagabonds qui débarquent avec eux. Une lettre du 20 avril 1867 adressée au ministère de la Justice par le parquet de la cour impériale de Lyon – à ce moment-là, les rapports politiques entre la France et l'Italie sont tendus – met en garde les autorités contre un nouveau fléau social : « Depuis quelques mois, une nuée de mendiants et de vagabonds venant de tous les points de l'Italie s'est abattue sur la ville de Lyon. Ils se trouvent dans toutes les rues, sur toutes les places publiques ; sous prétexte de faire de la musique et de montrer des animaux savants, ils mendient et ils volent quand ils en trouvent l'occasion. Il n'en est pas qui se livrent au travail, et la plupart exploitent de malheureux enfants qu'ils ont amenés avec eux en les obligeant à voler. Ces vagabonds couverts de haillons et de misère, sont devenus pour Lyon un embarras de premier danger… » Invasion, insécurité, malpropreté, immoralité… les Italiens cristallisaient à Lyon, au siècle dernier, tous les griefs que l'on peut avoir contre l'« étranger de passage », venu profiter des avantages de la société d'accueil. Dans le même temps, le quartier de la Guillotière où s'arrêtaient ces « mendiants, chômeurs et autres vagabonds » était particulièrement marqué du sceau de la dangerosité.

Il est frappant de constater à quel point les discours de rejet des immigrés reposent aujourd'hui sur les mêmes arguments : l'inquiétude provoquée par l'arrivée de ces nouvelles populations, surtout en matière d'emploi (les immigrés étant accusés d'être peu regardants sur les conditions de travail et de faire baisser les salaires), leur aptitude à la roublardise, leur religion, leur tendance à vivre entre eux, à former des ghettos… bref, quand la volonté d'exclure est là, les arguments ne sont jamais difficiles à trouver.

À la frontière franco-belge, avant la guerre de 14-18 et jusqu'aux années trente, rixes et chasses à l'homme ponctuent les relations entre mineurs français et belges, grévistes français et briseurs de grève belges, dans le bassin houiller du Pas-de-Calais. Gérard Noiriel, dans *Le Creuset français*, convainc aisément du rôle de l'économie dans le développement de la xénophobie anti-immigrés dans les bassins industriels.

Autre pays, autre ville, autre population. Dans un livre très riche de Stephen Steinberg, *The Ethnic Myth. Race, Ethnicity, and Class in America*, publié en 1981, on trouve d'éclairantes informations sur les difficultés d'intégration des Juifs aux États-Unis au début du siècle. Par exemple celle-là : en 1908, une vague de délits chez les immigrés juifs devient une question politique explosive après la parution d'un article d'un responsable de la police de New York, Théodore Bingham, exposant le fait que cette population est à l'origine à cette époque de plus de la moitié des délits recensés. Selon l'auteur, « il n'est pas surprenant qu'avec un million de Juifs dans la ville, pour la plupart russes (soit plus d'un quart de la population), peut-être la moitié des délinquants soit issue de cette race si on considère que leur ignorance de la langue, plus particulièrement parmi les hommes qui ne sont pas faits physiquement pour les travaux durs, les amène à la délinquance (…) ils sont voleurs, pickpockets, voleurs de grands chemins – quand ils en ont le courage ; cependant bien qu'ils couvrent l'ensemble des délits, le pick-pocket est leur activité la plus naturelle (…) parmi les voleurs de rue les plus doués se trouvent les enfants juifs de moins de 16 ans qui sont éduqués pour devenir délinquants… »

Comme pour les Italiens, les griefs, les arguments stigmatisants et caricaturaux, les généralisations racistes à l'encontre des immigrés reposent sur la même structure : ce sont des profiteurs à l'affût de la moindre occasion pour détrousser le passant, nuire à sa tranquillité, inassimilables, sans culture, sans éducation sinon celle de la fourberie, à l'apparence physique grossière et sale, paresseux, ivrognes… Qu'il s'agisse, hier, des Juifs à New York ou des Italiens à Lyon, des Roumains à Paris aujourd'hui, la thèse est identique. En matière d'intégration, les comparaisons culturalistes ne tiennent pas la route. Là où il débarque, l'immigré doit faire face à des réactions d'hostilité. Les Juifs ne se sont pas fondus en douceur dans le *melting-pot* américain, pas plus que les autres minorités et, en France, beaucoup d'Italiens ont sans doute oublié le temps des *Ritals*, cher à l'écrivain François Cavanna, ou le *Requiem des innocents* de l'écrivain lyonnais d'origine italienne Louis Calaferte. Autrement dit, les immigrés maghrébins n'ont pas plus ou moins d'aptitude à s'intégrer en France que les Espagnols, les Italiens, les Portugais. Le contexte est tout simplement différent. Au sein de l'équipe nationale de football, Zinedine Zidane, Français d'origine algérienne, a remplacé Michel Platini, Français d'origine italienne. Chacun s'est fait sa place avec son propre jeu. Insistons.

L'idée du conflit entre indigènes et immigrés apparaît donc inhérente à la rencontre des cultures. Et l'objectif d'une société démocratique n'est pas de chercher à l'éradiquer, mais d'en atténuer l'onde de choc, de manière à assurer le mélange au moindre coût social, à faire des différences culturelles une source d'enrichissements et non pas d'affrontements intercommunautaires.

« L'immigration menace l'identité française. »

Après la Seconde Guerre mondiale est apparue une autre immigration bien différente : maghrébine et musulmane puis turque et d'Afrique noire. Elle a pris le relais de l'immigration européenne. Nombreuse, elle est venue le plus souvent illégalement. Elle est très difficile à assimiler, contrairement à l'immigration européenne, car elle est profondément différente de culture, de civilisation et de religion, et son utilité économique n'est pas évidente... Cette invasion, en effet prévisible, doit être rejetée, il y va de notre propre survie.

Michel Poniatowski, *Que survive la France*, 1991

Les discours nationalistes sur la francité, la fierté d'être Français, la préférence nationale véhiculés par l'idéologie d'extrême droite sont autant de références explicites à une identité française dont on percevrait précisément les contours, immuables, et dont il conviendrait de défendre l'intégrité, la pureté. Or, une identité, outre le fait qu'elle doit plutôt être vue sous la forme d'un « menu » composite, comme l'a écrit Amin Maalouf dans *Les Identités meurtrières*, est vouée à évoluer et à se transformer avec le temps. Les immigrés et leurs enfants nés en France transforment la définition de l'identité française. Il y a par exemple aujourd'hui des citoyens qui ne *reconnaissent* plus et qui ne *se reconnaissent* plus dans l'équipe de France de football à cause de sa majorité de joueurs noirs. À l'évidence, l'idée que les anciens repères identitaires changent, par le fait de gens venus de l'extérieur, envahisseurs, peut susciter le rejet...

Mais pas toujours, fort heureusement. Les jeunes générations sont nées et ont grandi dans le creuset multiculturel qui constitue pour elles l'unique référence. Entre les années soixante et les années deux mille, on est passé de la « génération quantité » – avec les jeunes de mai 1968 qui sont les adultes au pouvoir aujourd'hui – à la « génération diversité » – avec les jeunes des quartiers qui ont insufflé dans l'espace culturel, notamment, de nouvelles tendances, de nouveaux modes de consommation et du paraître.

Si les Français de souche doivent accepter l'idée du changement inéluctable de leur identité, les immigrés et leurs enfants nés Français doivent également s'accommoder des évolutions qui les concernent, notamment de l'écart d'identité qui s'est instauré entre *avant* l'immigration et *après*. Sur de nombreuses questions, ils doivent se soumettre à l'obligation de s'adapter à des valeurs fondamentales de leur environnement local telles que la laïcité, l'apprentissage de la tolérance, la démocratie, l'égalité des femmes. Malgré les résistances, c'est globalement le cas avec la quasi-disparition des pratiques matrimoniales traditionnelles : les mariages entre cousins, le choix du conjoint par les parents. C'est aussi vrai pour l'apprentissage du français par tous, langue qui devient progressivement la seule maîtrisée dans les familles…

Globalement, depuis les années soixante, les attitudes bienveillantes et solidaires d'une partie des Français vis-à-vis des immigrés n'ont cessé de se développer ; nombre d'analystes affirment que la « machine à intégrer » fonctionne bon gré mal gré et que les immigrés se fondent peu à peu dans la nation française. En fait, ce point de vue doit être nuancé.

Les Français ont toujours eu sur les immigrés un regard équivoque, confus et paradoxal, et l'opinion peut passer de l'hospitalité au rejet le plus brutal. Les élections présidentielles de 2002 l'attestent, qui ont vu le leader du Front National arriver en deuxième position devant le candidat socialiste. Mais cela n'empêche pas que, dans le même temps, les Français se montrent favorables à la construction de mosquées dans les villes, si l'on en juge par un sondage Sofres commandé en décembre 2002 par la ville de Marseille et dont le journal *Le Monde* reprend les grands traits : « Les Marseillais se déclarent à 57 % favorables à la construction d'une grande mosquée dans leur ville (…) 39 % se disent "opposés" à ce projet, qui approche de sa phase de réalisation, après un an de concertation avec les représentants de la communauté musulmane. 700 électeurs, choisis selon la méthode des quotas, ont été interrogés par téléphone du 15 au 18 novembre. 80 % des jeunes de 18 à 24 ans sont favorables au projet, tandis que les plus de 65 ans n'y souscrivent qu'à 45 %. En termes de sympathies politiques, les communistes sont les plus favorables à la mosquée (74 %), suivis des écologistes (73 %) et des socialistes (67 %). Les électeurs de l'UMP se disent pour à 53 %. Les partisans du FN et du MNR y sont majoritairement hostiles, à 94 %. Malgré les divergences entre responsables musulmans, le maire Jean-Claude Gaudin se dit déterminé à aller "jusqu'au bout du processus" ».

On peut donc affirmer que, globalement, la « fabrique à mélanger » fonctionne, même si ce n'est pas à plein régime. Être Français dans les années d'après-guerre et être Français en l'an 2000 n'est pas comparable. Les contours de cette identité ne cessent de se modifier, dans un climat de tension, de soupçons et d'anathèmes. L'idéologie de la citoyenneté léguée par les philosophes des Lumières apparaît abstraite et inadaptée aux temps modernes, même si elle est aujourd'hui appelée à la rescousse et souvent galvaudée dans beaucoup de discours publics. Parallèlement, la nation française a redécouvert ses particularités provinciales, les langues régionales, en Corse, en Alsace et Moselle, au Pays Basque, en Roussillon, elle s'est diversifiée par l'immigration de masse, a acquis une forte composante musulmane et doit enfin se repenser dans le cadre de l'Union européenne et de la mondialisation. On admettra plus facilement, dès lors, la difficulté pour un immigré de « s'intégrer » à ce mouvement perpétuel, de monter dans ce train en marche qui ne veut plus accueillir toute la misère du monde, qui change de rails et qui roule de plus en plus vite. Dans cette passe difficile que traverse la nation, l'État a une lourde responsabilité quant à la reconnaissance sociale et politique des Franco-immigrés et l'évitement des risques de fragmentation de la communauté nationale.

« L'humour désamorce les tensions entre les groupes. »

> *Tous les citoyens sont égaux les uns aux autres,*
> *mais il y en a qui sont plus égaux que d'autres.*
>
> **Coluche**

L'humoriste français d'origine italienne Michel Coluche a superbement synthétisé l'aspect sournois de cette formulation. À l'évidence, l'humour vient souvent rendre compte des ambiguïtés des mots, notions, catégories, concepts utilisés dans les discours sur les étrangers et leurs différences. Il renseigne lui aussi sur le degré d'interpénétration culturelle des Français et des immigrés.

Les thèmes de la peur, de l'inquiétante étrangeté, de l'insécurité, de la violence, de l'invasion… les classiques rhétoriques du déchirement entre deux cultures, deux pays, qui alimentaient « gravement » les histoires de familles immigrées jusqu'aux années quatre-vingt ont toujours servi pour la mise en scène des immigrés et leurs différences. Mais cela n'empêche pas de constater que depuis une quinzaine d'années, chez les jeunes des quartiers, l'humour et l'autodérision sont devenus des traits de personnalité marquants qui ont engendré un traitement plus léger, plus distancié, moins passionnel de la différence. Ce changement de ton – mieux vaut en rire qu'en pleurer ! – a de multiples raisons et il est fort utile dans l'analyse des relations entre les « indigènes » et les « allogènes ».

Parmi ces raisons, la redondance et l'épuisement des problématiques de l'exil et de la migration dans les années soixante-dix, déclinées essentiellement comme des problèmes pour les migrants et la société d'accueil, souvent dans un sens tragique, et analysées au seul prisme de l'économie. La figure du migrant analphabète, arraché à sa terre natale pour les besoins du capitalisme occidental, meurtri dans la froide solitude des foyers d'accueil ou relégué avec femme et enfants dans les sordides bidonvilles, se prêtait difficilement à un traitement humoristique.

Ensuite, un effet de génération a provoqué un changement du regard indigène sur l'immigré : en effet, du thème des *vieux pères immigrés* exploités économiquement, on a glissé vers celui des *jeunes Français d'origine immigrée* qui jouent de leur double appartenance pour produire du « télescopage humoristique ».

Enfin, si l'humour marque autant les regards croisés, c'est parce qu'il est véhiculé par la toute puissance de la télévision ou du cinéma, en bref par des images dont on sait le rôle dans l'élaboration des représentations de l'autre.

Au fond, l'humour peut être considéré comme le facteur le plus abouti de l'intégration. C'est aujourd'hui un puissant « diluant » de l'immigration dans le *mainstream* de la société, là où les écarts culturels sont les plus réduits, les particularismes les moins actifs. En riant, des interactions se produisent entre les « ils » et les « nous » jusqu'à faire de celui qu'on croyait lointain un proche, un étranger intime. L'humour est un liant social d'une grande efficacité. Les questions relevant de l'immigration, des étrangers et de leurs différences étant toujours génératrices d'ignorance et de peur, l'humour, lui, engendre un espace de respiration, de légèreté, d'ouverture, bref, de rencontre. Il réduit les écarts en créant un espace commun d'identification.

Cette réduction n'est possible que grâce à une bonne connaissance des us et coutumes locaux et une bonne maîtrise de la langue française. Venant d'immigrés ou de leurs enfants, cette maîtrise, lorsqu'elle est bien mise en scène, est susceptible de surprendre l'indigène et de provoquer son rire, dans la mesure où il requiert de l'humoriste d'être pertinent dans les deux registres culturels dans lesquels il puise. On pourrait citer nombre d'exemples tirés du mariage de la langue des banlieues et de la langue française classique. Dans les romans littéraires, les auteurs beurs qui jouent de l'humour démontrent qu'ils n'ont pas de complexes face aux genres établis ; leurs styles sont volontairement libérés des contraintes du dictionnaire de la langue française.

De ce point de vue, la liberté que l'humour offre témoigne d'une rencontre équilibrée des partenaires, en ce sens qu'il est le fruit d'un véritable échange, un troc. Un partage. « Nous » sommes « vous ».

Le télescopage interculturel que provoque et qui nourrit l'humour produit une atmosphère sécurisante pour les uns et les autres. Quand il déclenche le rire, l'humour va chercher au plus profond de l'être une réaction spontanée, de confiance, infantile, innocente. Par conséquent, il rend le rieur vulnérable. Car rire de l'autre, c'est déjà l'accepter en son sein, lui donner une place, l'accueillir, comme on accueille en soi sa propre part d'étrangeté. L'humour atténue la peur de l'autre, le sentiment d'insécurité en dédramatisant les situations, en les mettant en scène, au jour. En guise d'illustration, on peut mentionner un sketch du comédien Smaïn dans lequel il s'adresse au public en demandant « aux Français » de lever la main pour les identifier, après quoi il suggère « aux Arabes » assis à leurs côtés de… fouiller leurs poches pour dérober leur portefeuille. Outre le fait que l'humour est une prise de risque quand il opère ainsi sur le fil du rasoir, aux limites de l'affront, en caricaturant à outrance les préjugés contre un groupe (ici les Arabes voleurs) et en ayant recours aux simplifications (les lignes frontières entre Français et Arabes sont supposées clairement identifiées, alors qu'on peut être Français et Arabe, les deux critères n'étant pas antagoniques), il est intéressant de montrer qu'ici le public des « Français » apprécie de jouer le jeu et se laisser conduire par le chef d'orchestre au risque d'être ridiculisé : « Comment ? Il y a des Arabes à vos côtés et vous allez accepter de lever les bras au risque de vous faire voler ? » L'exercice de groupe permet de voir que lorsqu'on met en scène de manière collective un phénomène social (ici le sentiment d'insécurité que chacun vit intérieurement et douloureusement), on peut désamorcer le caractère dramatique d'une situation et « en rire ensemble ».

Là encore, il faut bien noter que c'est le rôle du meneur de jeu – l'humoriste – que de bien connaître les vices et les vertus de chacun des groupes en présence dans la salle et de les caricaturer pour mieux en jouer. L'humour, ici, est une *catharsis*. Le public n'acceptera de se laisser manipuler par les clichés et les simplifications du meneur qu'à la condition d'avoir une pleine confiance en lui.

Univers sécurisant, l'humour est l'occasion des transgressions. L'humoriste peut aussi provoquer le rire en usurpant – « n'ayez pas peur, c'est juste pour rire ! » – un rôle qui n'est pas censé être le sien. Il joue, se joue, déjoue les distances établies, les assignations sociales et spatiales. Le comédien Smaïn jouant *Les Fourberies de Scapin*, ne vise pas moins que l'élection présidentielle (un beur président !), Le comédien Djamel Debbouze s'habille des costumes d'*Astérix le gaulois*, alors qu'au cinéma ou à la télévision, les rôles d'acteurs réservés aux beurs sont encore trop souvent confinés aux clichés. Sur le registre du déplacement des rôles, on aura noté dans le célèbre film *Le Fabuleux Destin d'Amélie Poulain* le rôle de Français, affublé d'un prénom français, qui a été attribué à Djamel Debbouze, véritable incarnation de l'archétype du jeune beur des quartiers. Cette remarque nous donne l'occasion d'imaginer l'effet que produirait une manifestation de Français de couleur, des Noirs ou des Maghrébins, en Bretagne par exemple, ou en Alsace, réclamant à force de cris et de slogans revendicateurs « La France aux Français » ! On en rirait, bien sûr, mais pourquoi ? N'ont-ils pas le droit, eux aussi, de réclamer la France aux Français ?

Réconfortant, socialisant, l'humour, par sa capacité à se jouer des distances, est aussi un apprentissage de la tolérance. On dit souvent de quelqu'un qui n'a pas le sens de l'humour qu'il est « coincé », autrement dit qu'il s'interdit volontairement tout déplacement de son point de vue. Or, il faut dire aussi que l'absence d'humour reflète parfois la pauvreté sociale, une situation dans laquelle l'individu n'a pas les moyens de « s'imaginer à distance ». Une illustration : il y a quelques années, lors d'une intervention dans un stage de formation de jeunes âgés de moins de 20 ans, j'évoquais avec exaltation les grandes inventions de l'histoire des hommes, lorsque qu'un élève leva le doigt pour poser une question. Je lui donnai la parole et il affirma sur un ton solennel qu'il connaissait le nom de l'homme qui avait inventé « le fil à couper le beurre ». Immédiatement, je cherchai dans son regard le signe d'une plaisanterie qu'il aurait échafaudée, mais son visage sérieux n'indiquait aucune marque d'humour. Sur quoi, j'enchaînai et lui lançai : « le fil à couper du beur ? Ah, je sais : c'est Le Pen ! » Sans ciller, le jeune homme me regarda d'un air détaché et me répondit froidement que ce n'était pas ce nom-là et de m'en citer un autre. Je fus extrêmement surpris de sa réaction. Tout à coup, je me trouvais en effet dans une étrange obligation d'expliquer à ce stagiaire que je venais de faire de l'humour, que j'avais assimilé le beurre aux beurs, que Le Pen étant l'ennemi des Beurs, etc. et plus j'expliquais et plus je sentais l'abîme d'incompréhension qui nous séparait. Le jeune homme ne pouvait pas lire au deuxième degré ma plaisanterie. Et je me rendis compte qu'un jeu de mots, qui consiste à modifier l'ordre des choses, pouvait parfois apparaître comme une équation mathématique du premier ou du second degré, c'est-à-dire une forme abstraite d'organisation de la pensée !

Dans la mesure où il force les uns à porter un nouveau regard sur les autres, à lire les rapports sociaux à différents degrés, l'humour est source d'enrichissement, outil de complexification des regards interculturels, et par conséquent du regard porté sur soi-même. Par le grossissement caricatural, par les multiples télescopages qu'il fabrique et dont il joue, l'humoriste décortique et dédramatise les préjugés. S'il est assez fin psychologue pour ne pas stigmatiser dans ses mises en scène un groupe au profit d'un autre, il créera alors un espace où son humour touchera « chacun d'entre nous », c'est-à-dire les pulsions, les angoisses, les peurs, les préjugés… que chacun porte en soi.

À regarder de près, l'humour a quelque chose de familier avec les notions de citoyenneté et de république devenues courantes dans l'action politique en direction des jeunes des banlieues. C'est un fait populaire, au sens démocratique du terme, partagé par le plus grand nombre. On peut imaginer l'utiliser comme un « service public » pour créer dans les sociétés multiculturelles des occasions de partage, de rencontre et de tolérance et, en fin de compte, contredire l'adage de Paul Valéry selon lequel l'humour serait la politesse du désespoir. On considérera ici qu'il est plutôt l'insolence de tous les espoirs.

« La situation des banlieues signe l'échec de l'intégration. »

Au pôle Nord,
au pôle Sud,
à l'équateur,
l'homme s'acclimate partout,
il n'y a qu'en banlieue
qu'il ne s'acclimate pas.

Jean-Marie Gourio, *Brèves de comptoir*, 1996

Les sociologues américains de l'école de Chicago se sont intéressés au début du siècle à la division ethnique des villes, pour savoir si les quartiers juifs ou italiens relevaient d'une volonté de regroupement communautaire ou d'un processus de ségrégation imposée. L'idée de ghetto est venue à propos des quartiers noirs américains dans lesquels les plus pauvres étaient piégés, sans aucune chance d'en sortir, avant de faire son apparition en France pour désigner les quartiers immigrés. Une politique de logement des populations immigrées dans les années soixante-dix a visé à les « essaimer » à petites doses – par le biais de la notion de seuil de tolérance ! – dans le parc de logement social.

Pendant quelques années, cette politique de mixité a fonctionné. Elle a laissé des souvenirs indélébiles dans la mémoire des habitants. Très souvent, ils ont la nostalgie de la forte solidarité de voisinage, qu'exprimait l'appartenance à une même condition ouvrière, ou bien à un même territoire, la même cité, le même immeuble. Dans l'espace public, les particularismes ethniques n'étaient réactivés que dans des circonstances positives comme la célébration de fêtes, de mariages ou de décès. Cette belle mixité, célébrée après coup, était-elle due à la persistance à cette époque du mythe du retour chez les immigrés ? Peut-être. Mais, en tout cas, elle n'a pas résisté aux bouleversements économiques et autres fractures sociales. Les regroupements et les concentrations ethniques se sont progressivement produits un peu partout où les habitants qui avaient les moyens de fuir le parc social dégradé ont déménagé.

Les grands ensembles sont devenus des quartiers immigrés. Ce sont bien les phénomènes de concentration qui sont à la base de l'« ethnicisation » des territoires. Bien sûr, les pouvoirs publics ont leur part de responsabilité dans ce processus. Ainsi, au cours du temps, les quartiers ont accueilli des populations pauvres et de plus en plus disparates culturellement, et les occasions de rencontres entre les habitants s'en sont trouvées réduites. Il est devenu quasiment impossible de réaliser la fusion harmonieuse de toutes ces différences, dans un même creuset. C'est vrai pour les immeubles comme pour les classes de collège dans ces quartiers. Les recours grégaires, défensifs et revendicatifs, à l'origine ethnique ou religieuse se sont accentués. Des jeunes ont été entraînés par une spirale d'enfermement dans leur bande, leur groupe originel, et se sont inventé des systèmes de verrouillage contre les autres. Vivant en vase clos, ils jouent de la distance réelle ou imaginaire qui les sépare du reste de la société. Le sentiment d'insécurité a gagné du terrain. L'idée de « sortir » en ville s'est chargée d'inquiétude.

Dans ce contexte, les déplacements de bandes de jeunes des cités vers le centre-ville offrent un poste d'observation instructif de la rupture des ponts entre les quartiers sensibles et le reste de la ville. Le « temps des ZUP », des grands ensembles construits à la périphérie des villes dans les années soixante et soixante-dix, apportant confort matériel et fonctionnel aux nouveaux banlieusards, est bel et bien révolu. Il a fait place au « temps des banlieues », où l'écart à la ville est instrumentalisé par des jeunes des quartiers, mis à profit dans des logiques sociales de revendication ou utilisé dans des jeux de scènes destinés à provoquer l'ordre établi, selon deux types de scénario, celui de la *descente en ville* et celui du *caillassage à domicile*.

Le premier concerne leurs déplacements vers le lointain, ce qui se trouve à l'extérieur du territoire-refuge, le centre-ville par exemple. Quand ils s'y rendent, les jeunes se concentrent et se fixent dans un lieu très passant et exposé, dans un rituel de défi, signifiant que la périphérie « descend » au centre, la banlieue investit le cœur de la cité. Cette mise en scène de la bande dans l'espace public a pour objectif de forcer le regard de l'autre sur soi dans l'agora, lieu où la présence de ces jeunes des quartiers est perçue comme « pas bien vue par les riverains et les commerçants ». Ici, l'écart au centre sert, avec l'argument du nombre, l'idée de la reconnaissance sociale et urbaine. Il est volontairement réduit pour montrer que les Barbares sont là. Les jeunes ont appris à renverser les rapports proche/lointain, étranger/indigène, fort/faible, dominé/dominant. La bande, quand elle investit le centre, sait que faire peur c'est exister.

Le second phénomène concerne l'immobilité, la proximité, et s'illustre bien par le rituel déployé par ces jeunes lorsqu'ils dérobent une voiture : en effet, c'est dans l'enceinte de leur cité qu'ils reviennent pour donner un spectacle en deux actes : d'abord s'exercer au rodéo, exhiber la prise et la brûler sous les yeux de la population, ensuite attirer les forces de l'ordre et les pompiers dans l'enceinte de leur territoire pour les « caillasser ». Ces embuscades signent le message suivant : « On habite *loin*, mais on est *là* quand même ! », slogan basé sur des adverbes de lieu, définissant la revendication du quartier comme territoire bouclé de l'intérieur, entité collective de corsaires, où l'on donne encore signe de vie en faisant du tapage et en mettant le feu. Preuve d'un pouvoir de nuisance. Le fait de savoir qu'en faisant du bruit, en commettant des déprédations, on peut indisposer ceux-là mêmes qui nous rejettent est une incitation majeure à se mal conduire, se venger.

Ces dernières années, on a fréquemment vu à l'œuvre cette « politisation de l'écart » chez certains jeunes des quartiers, attestant leur habileté à se jouer de l'intervalle qui les maintient outre-ville. Comme on dit de quelqu'un qu'il fait bande à part, ils font, eux, « ville à part » pour pousser jusqu'au bout le symbole de la désintégration et le transformer en logique stratégique d'insularité. Dans certains quartiers, des jeunes pilotent des scooters ou des voitures sans respecter les trottoirs, les feux de signalisation, rejetant tout code de conduite imposé, au risque de provoquer – et d'être victimes –, de graves accidents de circulation. Des conflits opposent toujours ces jeunes aux chauffeurs respectueux des feux rouges. À l'évidence, il y a un problème de rééducation qui se pose, comme s'il fallait recommencer à zéro l'apprentissage élémentaire des valeurs du contrat social.

« La désintégration, c'est commettre des actes insensés. »

Les ratés de l'intégration nous renvoient l'image d'une société à la dynamique sociale fatiguée, et qui manque d'aspiration, d'espoir et de rêve.
Les frustrations des jeunes franco-immigrés sont en fait celles de la jeunesse française, et les dysfonctionnements des « banlieues » ne font que grossir ou anticiper ceux de la société tout entière. Crise de la famille, crise de l'école, crise du travail, crise des Églises, crise des syndicats et des partis politiques...

Jacques Verrière, *La Genèse de la nation française*, 2000

Malgré la banalisation, ces dernières années, des actes de violence dans les quartiers sensibles, et notre relative accoutumance à leur émergence, on ne peut s'empêcher de constater l'inquiétante transformation de leurs formes. Elle pose une redoutable question, celle de leur sens. La complexité grandissante de notre environnement urbain, mondialisé, pulvérise le sens des choses, des actes et des paroles. S'agissant des phénomènes de violence dans les quartiers sensibles, on a le sentiment qu'au cours de la décennie écoulée, ils avaient au moins le mérite de se prêter au jeu de l'interprétation. Les chercheurs en sciences sociales et humaines disposaient alors dans leur boîte à outils de possibles corrélations entre la montée de l'individualisme dans la société, le racisme anti-immigrés, le chômage, l'affaiblissement des syndicats, le délitement du lien social, la galère, les discriminations, la consommation... pour proposer des explications à la haine, la rage, le rodéo ou l'émeute urbaine. Du coup, à partir des diagnostics du terrain, on pouvait dégager des propositions pour agir contre la désintégration sociale dans ces zones vulnérables. Ainsi, en privilégiant les actions en faveur de l'emploi (zones franches, emploi-jeunes…), les mesures contre les discriminations à l'embauche, à l'entrée des lieux publics, au logement, en luttant contre l'exclusion, on pouvait contribuer à faire avancer les idées de citoyenneté, de cohésion sociale et urbaine, de participation des habitants. Or, ces dernières années, les meurtres de jeunes dans les banlieues, fratricides, de voisinage, ont renvoyé aux annales de la recherche urbaine ces interprétations sociologiques, en les rendant brutalement obsolètes.

Depuis longtemps déjà, bien des travailleurs sociaux présents sur les terrains alertent des comportements insensés, déréalisés, qu'ils observent chez les jeunes, voire les très jeunes, dans les quartiers, et sur lesquels plus aucune « entrée » dans le système de pensée n'est possible, plus aucune forme d'éducation. De plus en plus, sur la peau de la ville semble apparaître une accumulation d'indices – les meurtres de jeunes de banlieue – qui manifeste la contagion de la perte de sens grandissante dans notre société. De là jaillit la source d'une angoisse sociale. Si nous sommes atterrés par les faits de plus en plus violents de l'actualité des quartiers sensibles (mais pas seulement), c'est en partie à cause de notre incapacité à leur donner un sens, autrement dit à comprendre ce qui se joue autour de nous et qui met en péril la vie de chacun d'entre nous. La vie. Ces adolescents qui tirent sur d'autres à coup de pistolets ou qui « plantent » un autre à coup de couteau se rendent-ils compte qu'ils vont tuer quelqu'un ? Ne voit-on pas là poindre l'urgente nécessité éducative d'expliquer aux jeunes l'étymologie des mots, y compris les plus basiques comme « se rendre compte », « tuer », et « quelqu'un », de leur faire réciter cent fois : « Tu ne tueras pas ton voisin s'il ne t'a pas payé ton dû, réglé tes 500 grammes de shit, s'il a "traité ta mère", s'il t'a regardé de travers… ? »

On croit qu'avec le temps l'intelligence sociale et le progrès font leur chemin, que ce qui est appris est gagné, mais en réalité ce qui est gagné n'est jamais acquis. Il faut souvent tout recommencer, admettre que le temps vide les mots de leur sens et que les événements n'ont guère de valeur pédagogique. Pendant un temps, on a pensé que dans les quartiers sensibles, pour contrôler les « petits frères », la présence dans la chaîne éducative des « grands frères » était indispensable. On peut *a posteriori* douter de l'efficacité de cette hypothèse. Quel contenu les jeunes donnent-ils aujourd'hui au mot respect ? Est-ce le même que celui utilisé il y a une génération vis-à-vis des parents, des pères en particulier ? Certainement pas. Cependant, les questions liées à l'honneur sont souvent au cœur des conflits entre les jeunes. Hier, on se battait en duel, dans un champ ou un pré, pour un honneur bafoué, jusqu'à ce que mort s'en suive, aujourd'hui on règle ses comptes au milieu du béton ou dans les caves d'un immeuble. Peu de choses ont changé, sinon qu'à la société codifiée du duel s'est substituée celle, aléatoire, de l'assassinat sauvage.

On le voit encore, les quartiers sensibles apparaissent comme un immense miroir de réflexion où se mirent les aléas du couple intégration-désintégration. Qu'elle nous parvienne déguisée en « tournante », en « baston générale », en barrette de shit, la question du sens est posée sur la place publique comme un immense rocher tombé du haut d'un immeuble. L'affaiblissement croissant des institutions dispensatrices des valeurs fondamentales héritées des Lumières telles que l'école, l'armée, les Églises, les partis politiques, les syndicats ne leur permet plus de jouer le rôle d'intermédiaires qui leur est dévolu pour faire accéder les classes populaires à l'« universel abstrait ». Parmi ces multiples organisations, l'école est aujourd'hui le seul maillon résistant, mais elle devient de plus en plus un point nodal de contradictions et d'affrontements.

"

INTÉGRATION
ET POLITIQUE

« L'intégration, c'est un problème urbain. »

En vérité ce n'est pas d'un regain d'accélération
que le monde a besoin : en ce midi de sa recherche,
c'est un lit qu'il lui faut, un lit sur lequel, s'allongeant,
son âme décidera une trêve. Au nom de son salut !
Est-il de civilisation hors l'équilibre de
l'homme et sa disponibilité ?
L'homme civilisé, n'est-ce pas l'homme disponible ?
Cheikh Hamidou Kane, *L'Aventure ambiguë*, 1971

L'intégration concerne-t-elle exclusivement l'incorporation des étrangers, Italiens, Maghrébins, Africains… dans la société d'accueil ou bien a-t-elle pareillement été un problème pour les Bretons, les Savoyards ou les Corses à Paris ? La question mérite d'être posée, il faut examiner s'il s'agit plus d'un objet lié au déracinement territorial et identitaire d'un individu *lambda*, que d'une dichotomie nationaux/étrangers.

La réponse se trouve dans le phénomène de la ville, lieu des échanges, de la richesse, de la diversité, mais aussi lieu des contradictions, des illusoires proximités, de la solitude, des factices possibilités, des frustrations. Soumise à des forces centrifuges et centripètes, elle charme et tue, intègre et désintègre, rapproche et éloigne. Elle est le lieu du brouillage des repères, le territoire des passions et des excès, qui en temps de crise, prennent des allures démesurées. La ville est créatrice de violence et les phénomènes de désintégration ne sont pas réservés aux immigrés ou aux jeunes des banlieues, mais concernent bien l'ensemble de la population.

Pour les fondateurs de l'écologie urbaine de Chicago, la grande différence entre les plantes et l'organisme social réside dans le fait que ce dernier est composé d'êtres humains qui peuvent se mouvoir, et cette faculté assure à l'individu un point de vue indépendant, une liberté. L'exode rural a poussé les paysans vers la ville industrielle, mais cette dernière n'avait pas la capacité d'offrir à tous ceux qu'elle attirait un rôle, une utilité sociale et encore moins une promotion. La ville est un système de sélection. Elle exclut les plus précaires, ceux qui sont là sans y être, piégés par un système qui tourne de plus en plus vite, renforçant leur vertige, leur frustration, leur amertume. Vivre une situation de « captivité relative » est d'autant plus difficile qu'on a l'impression que le monde tourne de plus en plus vite autour de soi, victime d'une frénésie, d'une tyrannie de la vitesse et que l'on ne peut y avoir de place. L'exclusion sociale est d'autant plus frustrante pour un individu qu'il se situe physiquement au cœur de la société de consommation, qu'il est dedans sans disposer du laissez-passer, avec le droit de regarder, sans toucher. Elle justifie la revendication répandue chez beaucoup de jeunes de quartiers du « tout et maintenant ». Réduit à un point dans l'espace, le jeune qui s'est désintégré, qui a décroché, n'a plus rien à perdre face aux autres. Il est prêt à rendre la violence que la société lui a fait intérioriser.

Cette accélération du rythme de vie d'une société accentue la solitude, le repli sur soi, l'ignorance, les fantasmes, le sentiment d'insécurité, en même temps qu'elle favorise les processus de « ghettoïsation » ethnique. Le fonctionnement ségrégatif de la ville conditionne la question de l'intégration. D'où la dangerosité des discours qui visent à désigner et criminaliser les « caïds de banlieue », les « sauvageons », accusés de détourner les bons citoyens du droit chemin, d'empêcher le fonctionnement démocratique de la ville, de faire des quartiers en difficulté des zones de non-droit, etc. L'aboutissement logique d'un raisonnement aussi simpliste serait l'identification des minorités actives « nuisibles » afin de les éloigner physiquement du reste de la population pour rétablir l'ordre et la tranquillité. Cette vision réductrice basée sur une fausse causalité interdit de porter un regard lucide global sur les dysfonctionnements inhérents à la ville comme système, quelles que soient sa géographie, sa culture, sa religion.

Une conclusion surgit à ce stade : quand on aborde la complexe, trompeuse et confuse question de l'intégration, il paraît difficile de produire un discours consensuel. Au fond, cette question nous renvoie à la métaphore du verre à moitié vide ou à moitié plein. Selon que l'on concentre son attention sur l'une ou l'autre des moitiés, on est optimiste ou alarmiste. Cependant, l'attitude la plus complète consiste à prendre en compte l'intégralité du verre et à considérer parallèlement les forces qui le travaillent de l'intérieur et de l'extérieur. Sans doute est-ce là une attitude scientifique à respecter face à cet objet redoutable qui mêle tant d'affects et de passions.

« L'intégration, c'est la reconnaissance sociale. »

L'intégration,
c'est l'exact inverse
de l'exclusion.

Claude Allègre,
Colloque sur l'école du xxıᵉ siècle, janvier 1999

Autant les parents primo-arrivants de l'après-guerre ont été cachés (au fond des mines) par la société française, autant le balancier est allé dans l'autre sens avec leurs enfants qui ont exprimé au début des années quatre-vingt le vif besoin de sortir dans la rue, dans l'espace public, d'être vus pour exister socialement. C'est la Marche des beurs en 1983, emmenée de Lyon à Paris sous le slogan « J'y suis, j'y reste ». Le retour du balancier est d'autant plus ample que l'identité de l'individu ou du groupe a été refoulée par la société, que le déni de l'autre a été écrasant. À ce sujet, on peut affirmer qu'à l'instar du foulard islamique, plus l'islam a été diabolisé dans les médias et plus les jeunes en déficit d'estime de soi et de reconnaissance sociale ont été amenés à s'intéresser à cette culture originelle pour comprendre.

Nombre de jeunes ont compris que dans une société démocratique comme la France, c'est par l'action collective, en tant que groupe victime de discriminations, qu'ils allaient gagner une reconnaissance et faire valoir leurs droits à un traitement égalitaire. Ils ont réalisé que faire peur, c'est exister. Bien souvent, ce type de stratégie a fonctionné parce qu'il disposait d'un relais amplificateur dans certains médias, friands de sensationnalisme.

La reconnaissance sociale et l'estime de soi sont des éléments fondamentaux d'une intégration bien ou mal vécue. Quand on a passé son enfance dans la frustration de l'invisibilité sociale de ses parents, on a soi-même faim de se montrer, d'être vu pour crier son existence : d'où, me semble-t-il, le symbole de l'envahissement du stade de France en octobre 2001 par les jeunes Français d'origine algérienne. Parfois, la faim de reconnaissance se manifeste ainsi, anarchiquement, à défaut d'alternative.

Sur le plan politique, la gauche plurielle n'a guère été efficace depuis vingt ans pour hisser les jeunes issus de l'immigration, alors que ces derniers avaient misé leurs aspirations sur elle. Si bien qu'en 2002, d'aucuns se demandent toujours pourquoi il n'y a pas un député d'origine immigrée à l'Assemblée Nationale. S'il y a des blocages qui empêchent l'intégration des Français issus de l'immigration, est-il offensant de les compenser par une discrimination positive ou *affirmative action* à la française ? En fait, cette hypothèse est grevée par une rhétorique conservatrice invoquant la dérive « communautariste » : à chaque fois qu'un groupe social, minoritaire et faible, essaie de protester contre les discriminations dont il est victime et tente d'améliorer sa situation, lesdits républicains lui opposent le risque d'une surenchère sur le terrain des revendications pouvant provenir d'autres groupes minoritaires, les femmes, les homosexuels, les Corses, les handicapés...

C'est ce type d'argument qui affaiblit la crédibilité du projet républicain dans les quartiers d'exclusion.

Car en réalité, personne n'est dupe, les passe-droits existent bel et bien dans la société, tel le vivier de reproduction sociale que constituent les grandes écoles ou nombre d'entreprises dans lesquelles les enfants succèdent aux parents qui partent à la retraite. Ces déterminismes représentent à bien des égards des formes de « communautarismes » préjudiciables à l'égalité des chances, surtout pour les plus pauvres bien entendu. On constate que c'est seulement lorsque les exclus essaient de s'organiser collectivement dans leurs luttes sociales que les gardiens de l'intégration « méritocratique » sont les plus véhéments, plus rarement quand il s'agit du pouvoir chez les nantis.

Si l'intégration ne se décrète pas, nous pensons malgré tout qu'il faut passer par une étape du « coup de pouce volontariste », pour ne pas utiliser la notion de « discrimination positive » qui grince dans les oreilles républicaines. Il s'agit en effet pour la société française d'accepter à présent de revenir sur la fausse automaticité de sa philosophie atemporelle d'intégration et de s'inventer des critères de mesure et de contrôle de l'évolution des différents groupes de population qui la composent. Bien sûr, c'est toucher du doigt les outils pragmatiques des politiques anglo-américaines d'*affirmative action*, chose ô combien détestable dans la nation des droits de l'homme, berceau de l'égalitarisme, mais le maintien d'une cohésion minimale de la population française est à ce prix. Après plus de vingt ans de discours vides sur l'intégration, il est temps de passer à la phase de remplissage, pour résorber le décalage entre mythe et réalité. Dans cette optique, nous partageons la conception de Michèle Tribalat sur la nécessité de prendre en compte l'appartenance ethnique dans les données statistiques nationales si l'on veut assurer la consistance de la notion de « creuset français ».

Des tentatives ont déjà eu lieu à l'Institut d'études politiques de Paris en 2000 qui visaient à favoriser le recrutement de bons élèves des lycées situés dans les quartiers sensibles. Elles ont soulevé bien des débats passionnés. Exemplaires, courageuses, on peut parier qu'elles seront fructueuses dans les années à venir. La reconnaissance sociale passe aussi par la politique de « la courte échelle », sans que l'on soit contraint d'arriver à la logique rigide des quotas telle qu'elle prévaut aux États-Unis et qui, du reste, montre ces dernières années des signes d'épuisement.

En attendant, c'est donc par la petite lucarne, le petit écran, que s'opèrent les plus grandes avancées de l'intégration. Depuis l'émission de télévision grand public « Loft Story », on est entré dans l'ère de « l'intégration *People* ». Lors de la première en France, en 2001, un des héros de cette émission avait pour nom Aziz. Il faut reconnaître que la communauté maghrébine en général, et les jeunes des banlieues en particulier, ont suivi avec grand intérêt les péripéties *intra muros* de ce héros communautaire et national. L'image qu'il allait donner de « nous » au cours de ces jours d'intimité portes ouvertes dans « Loft Story » est vite devenue un enjeu majeur du sentiment d'intégration des Français d'origine maghrébine et il me semble que l'on n'a pas pris la mesure de ces ébats télévisuels sur la psychologie de cette minorité. Dès le début de l'assignation en résidence surveillée, dans les chaumières, les débats passionnés sont allés *crescendo* quant à ce qu'*il* aurait dû dire ou faire, ce qu'*il* aurait dû ne pas dire ou ne pas faire, pour nous représenter dignement, ne pas « nous mettre la honte ». L'approbation générale suscitée par le rapprochement intra-ethnique avec Kenza (valorisation du « nous ») au début de leur idylle a été à la hauteur de la déception provoquée par la rupture, quand Aziz a été jugé rétrograde et misogyne. De véritables chocs culturels se sont produits à propos de la question de la nudité et des rapports intimes : comment elle et lui ont-ils accepté de se montrer nus aux yeux de tous ? Ont-ils fait l'amour ?... alors que chez « nous » le moindre baiser entre deux acteurs dans un film, quand on regarde la télévision en famille, provoque un malaise considérable, alors que les espaces de la vie privée et publique sont si cloisonnés, que l'intimité est si secrète ?

Il faut le répéter : chez les Maghrébins de France, Aziz et Kenza ont été, à leur insu, le miroir dans lequel se sont croisés les jeux de regards entre les « nous » et les « eux », l'arène où s'est produite en direct et non-stop une joute identitaire, dont l'issue risquait d'être, une fois de plus, le bannissement du groupe d'un de chez « nous ». Finalement, il a eu lieu. Aziz a été refoulé. Mais, alors que l'on s'attendait à une nouvelle crise de reconnaissance et à l'exacerbation du sentiment de victime (« c'est parce qu'il est arabe que... »), le plus paradoxal est que le gladiateur de supermarché a été sorti sous les acclamations de la foule. Il s'en est sorti. Et les larmes qu'il laissa échapper n'ont pas été sans prouver à tous les cœurs de Français qu'on peut s'appeler Aziz, être monsieur muscles, avoir des relents de machisme, être enfant des banlieues... et humain. Aussi vrai que les deux coups de tête magistraux de Zidane lors de la finale de juillet 1998 contre le Brésil, l'expulsion d'Aziz du Loft a marqué un tournant dans l'histoire de l'intégration des Maghrébins en France.

Cet individu illustre là un changement radical du regard que les « eux » porteront désormais sur les

« nous ». En effet, ce qui a prévalu au cours des débats n'a jamais été lié à l'origine ethnique de ce champion, mais toujours et simplement à ses mérites, ses idées, ses paroles, ses actes : Loft Story a mis en œuvre, en direct, les principes fondamentaux de l'intégration républicaine tels qu'ils ont été définis par la Révolution française ! Un comble !

En vérité, ceux de chez « nous » ont prouvé, avec l'expulsion-intégration d'Aziz, que nous étions aussi vulnérables que les autres, que nous portions les mêmes stigmates qu'« eux », les mêmes angoisses, aspirations et que, sous le rouleau compresseur de la société de consommation, nous nous trouvions sur la même enclume, broyés, ensemble. Poussée jusqu'aux limites extrêmes, la logique du capitalisme, à travers Loft Story, se dévoile comme le chantre de l'intégration. Pour aliéner la masse, il est nécessaire d'annihiler la différence et faire descendre le niveau d'identification le plus bas possible jusqu'au *basic instinct.* C'est gagné. Dans ce bas monde, « eux » et « nous » ne font qu'un. Un conso-mateur, en deux mots. À l'occasion de cette émission, les hommes politiques et leurs appareils ont prouvé une nouvelle fois qu'ils avaient toujours un train de retard sur l'intégration par rapport à la société civile.

Avec Kamel et Houcine de l'émission de TF1 « Star Academy » diffusée en 2002, appréciés pour leurs talents artistiques, l'un danseur chorégraphe et l'autre chanteur, la télévision a continué par le biais de ses émissions grand public à banaliser efficacement la promotion en douceur des Français de couleur. Dans certains cas – c'est surtout vrai pour les jeunes –, l'image du beur ou du black est même devenue un critère de marketing associé à la modernité, au dynamisme, à une façon d'être branché. La radio Skyrock, spécialisée dans le rap et autres courants musicaux qui séduisent les jeunes des quartiers, est à la pointe de cette France *new-look* provocatrice. Ses 4 millions d'auditeurs quotidiens illustrent le dynamisme de la France de la diversité.

« Pas d'intégration sans participation politique. »

Il est temps de passer du stade du traitement social
(ou charitable ou humanitaire) de l'immigration
au stade du traitement politique.
Le paradoxe est aujourd'hui que les politiques
sont efficaces et performantes lorsqu'il s'agit
de l'accueil des primo-arrivants,
mais qu'elles se détériorent lorsqu'il s'agit de passer
au stade de l'intégration ou de l'insertion.
Cela suppose d'admettre et de favoriser l'accession
à des postes de responsabilité des générations
issues de l'immigration en combattant
les résistances de la société d'accueil,
les verrous et ses mécanismes d'éloignement,
de relégation et de déclassement.

Les enjeux de l'intégration du FASILD,
Fonds d'action et de soutien pour l'intégration
et la lutte contre les discriminations, novembre 2001

En France, l'insécurité urbaine aura été le grand épouvantail de l'élection présidentielle de mai 2002 et des législatives. En filigrane, derrière elle se profilait, non pas l'urbain en tant que système global et producteur de violences, mais la seule ombre des quartiers de banlieue et de leurs jeunes populations d'origine immigrée. Cette confusion a nourri encore davantage le sentiment de frustration qui existait chez les habitants des quartiers sensibles. En effet, dans les banlieues, la plupart des jeunes d'origine immigrée se sentent offensés de leur absence de représentation dans l'arène politique nationale. Ils associent cette absence à une éviction délibérée, se référant à leurs grands frères acteurs de la Marche des beurs des Minguettes en 1983, oubliés de SOS Racisme, recyclés depuis comme vendeurs de merguez ou fervents pratiquants de la mosquée du quartier.

La gauche a une grave responsabilité historique dans la désillusion politique des jeunes des cités. Le résultat de cet abandon est à l'image de ce qu'est devenu le sens du devoir civique dans l'ensemble du corps social : la prise de conscience de leur capacité à nuire. Le sentiment de ne pas avoir sa place dans la société, de ne pas être considéré politiquement, d'être victime de l'arrogance des nantis, a progressivement nourri le désir de nuire au système pour être entendu, vu, peut-être écouté. Dans cette ambiance délétère où l'on vote *contre* et non pas *pour*, pour effrayer les gens au pouvoir, des Français d'origine immigrée se sont complètement assimilés. Oui, il y a des Français d'origine immigrée, et même des immigrés, des étrangers... qui réclament eux aussi, comme les autres citoyens, la sécurité pour leur voiture garée sur le parking de leur immeuble, pour leurs enfants à l'école et dans l'espace public, et cette demande sociale ne permet plus de les distinguer selon leur origine ethnique. À propos de l'insécurité dont ils se sentent les victimes exclusives, beaucoup d'autochtones sont trompés par une lecture raciste de ce phénomène social et ignorent que leurs voisins partagent leurs préoccupations.

Trompés, les autochtones le sont également par une absence de distance vis-à-vis des informations qu'ils reçoivent sur les immigrés. Car enfin, pourquoi dans les villages reculés des campagnes d'Alsace les gens votent-ils si massivement pour le parti d'extrême droite, alors qu'on ne compte pas un immigré de couleur à cent lieues à la ronde ? Évidemment, parce que le petit écran leur livre des informations « prêtes à consommer » sur les immigrés, les Arabes, les musulmans, les Africains... qui mettent en scène des voitures incendiées, des émeutes, des agressions, des procès de jeunes ayant participé à des actes terroristes aux États-Unis... bref, autant d'éléments porteurs d'une intense charge d'angoisse. Est-ce de la faute des médias ? En partie. Mais cela ne saurait exonérer de leurs responsabilités les hommes politiques, *a fortiori* ceux de gauche dont on attendait tant, qui avaient l'occasion de montrer un autre visage de la société multiculturelle en réalisant l'intégration politique. La gauche plurielle n'a pas eu le courage de s'engager dans cette direction durant toutes ses années au pouvoir. Pourtant, ce n'était pas faute de candidats dans les quartiers ayant exprimé leur volonté de s'engager politiquement en travaillant sur les valeurs de la république.

Le discours de gauche a toujours avancé l'argument que « les Français » n'étaient pas encore prêts à voter pour leurs concitoyens de couleur. Cette hypothèse raciste larvée a en partie préparé le terrain pour les divers guet-apens du Front National aux élections. Dans les quartiers, on reproche aujourd'hui aux socialistes d'avoir instrumentalisé depuis 1981 les banlieues et leurs enfants dans leur combat contre la droite et d'avoir étouffé les besoins d'émancipation politique des jeunes issus de l'immigration, sous prétexte des risques de constitution de « listes ethniques ».

Au cours de ces années passées au pouvoir, la gauche plurielle avait tout le loisir de se mettre au diapason de la société civile en intégrant des Français de couleur par le haut, en leur ouvrant les portes des Conseils généraux, régionaux, de l'Assemblée Nationale, au moment où le « Loft Story » leur offrait des premiers rôles dans le registre esthético-physique. Elle a manqué le coche, sous prétexte de l'argument frileux du communautarisme. La première conséquence est qu'entre les « grands frères » de la Marche des beurs de 1983 et les *cailleras* des années deux mille, il y a une rupture générationnelle cruellement préjudiciable à l'éducation à la citoyenneté. La seconde est que Le Pen se présente aujourd'hui comme le seul homme politique à intégrer aux commandes de son parti un fils d'immigrés et de l'exhiber, ceint des couleurs de la France, sur le terrain du pragmatisme politique. Un autre comble !

Le nouveau président et son gouvernement ont admis l'urgence de donner un coup de pouce à la visibilité politique de la France multicolore, pour contrer les confusions malsaines entretenues par l'extrême droite, les stéréotypes produits par les médias et les frustrations laissées sur le terrain par la gauche plurielle. L'origine ethnique et la couleur de la peau ont toujours été des attributs de distinction négative en France ; une occasion inattendue s'est offerte aux hommes politiques de les transformer en ambassadrices des valeurs citoyennes et républicaines. Deux secrétaires d'État d'origine maghrébine ont été nommés dans le gouvernement Raffarin, Tokia Saïfi au ministère du Développement durable et Hamlaoui Mékachéra aux Anciens Combattants. Un gouvernement et un président de droite ont ainsi réalisé ce que les divers gouvernements de gauche ont toujours dit sans jamais oser le faire.

« L'islam et la république ne peuvent faire bon ménage. »

L'islam, franchement, c'est une grande chose dans ma vie.
Même là, je suis en train de gamberger, je dis :
« Il faut que je sois dans la religion. Il faut que je prie. »
Tous les trois ou quatre jours, on loue une
cassette (vidéo), avec des grands savants de l'islam, avec
des occidentaux, où ils montrent les paroles du Coran.
Un des plus grands professeurs en astronomie
du Japon a certifié que le Coran est la voix de Dieu.
Le plus grand savant de la NASA a lui aussi certifié.
Ce qui est dit là, ça ne peut pas être humain,
ça ne peut être que divin. Après, on ne peut plus rien.
Quand les plus grands savants certifient,
on ne peut plus nier.

« Moi, Khaled Kelkal », *Le Monde*, 7 octobre 1995

La méconnaissance de l'islam, par beaucoup et de chaque côté, les divisions et rivalités chez les musulmans eux-mêmes dans la bagarre de la représentativité ont conduit à l'amalgame et à l'extrême simplification d'une réalité multiforme et éclatée.

26 novembre 2002. Assemblée Nationale française. La proposition de loi constitutionnelle sur le droit de vote des étrangers est débattue à l'initiative des députés socialistes et repoussée à l'issue de quatre heures de débats passionnés, par la majorité de droite. Jean-François Copé, porte-parole du gouvernement, explique que le texte provoquerait une rupture du lien entre la nationalité et la citoyenneté, défendant l'idée qu'au fond, « le vrai sujet, c'est la

réussite de l'intégration ». Ce même député a fait les frais d'un tollé des députés de gauche quand, répondant aux orateurs, il s'est félicité de la présence, pour la première fois dans un gouvernement, de deux ministres musulmans (Tokia Saïfi et Hamlaoui Mékachéra). Dénonçant ce « dérapage », révélateur d'une « droite profondément réactionnaire », le président du groupe socialiste a fait suspendre la séance. Puis Jean-François Copé a tenu « à dissiper ce malentendu » en évoquant le « formidable parcours d'intégration » des deux ministres en question.

La question des musulmans en politique se pose toujours avec moult passions, confusions et malentendus. Depuis une génération, l'argument religieux a été utilisé dans les médias, en politique puis dans l'opinion, comme une transition entre des immigrés différents et des immigrés inassimilables. L'islam, associé à la religion de l'autre, détient dans l'imaginaire collectif français une place à part et négative et il a suscité beaucoup d'émoi depuis que des citoyens français ont commencé à s'afficher comme musulmans. C'est surtout la condition de la femme qui apparaît aux antipodes du principe de non-discrimination régissant les rapports entre individus dans la société française. Mais pas seulement, car la visibilité de l'appartenance islamique bouscule aussi la frontière entre le public et le privé, le musulman ne pouvant pas limiter la pratique de sa religion au seul espace de la mosquée. La question de l'islam en France a donc posé celle de la dimension sociale des religions, et c'est sans doute cette orientation qui a amené l'État français depuis plusieurs années à tenter d'organiser un islam de France.

La crainte de l'islam, ciment des peurs associées à l'insécurité, à l'invasion, au terrorisme, a largement été produite par les médias et les discours politiques. Le doute jeté sur le loyalisme et le civisme des musulmans a nourri un sentiment d'indignité et d'exaspération chez beaucoup d'entre eux, ainsi que des replis et un discours de radicalisation, tel que celui de Khaled Kelkal cité en exergue de ce chapitre.

Paradoxalement, cela n'a pas empêché que, globalement, la présence des immigrés musulmans dans la société était de mieux en mieux acceptée par la population. Il faut insister sur cet aspect : dans leur perception des immigrés musulmans, les Français sont certes troublés par les images qu'on leur donne à voir, mais ils restent surtout sensibles aux relations tête-à-tête, d'individu à individu, à l'occasion desquelles ils constatent que leur voisin qui prie, qui va à la mosquée, qui élève ses enfants, qui fait le ramadan… n'est au fond pas si différent de lui. Souvent, ils partagent avec lui des assiettes de pâtisseries arabes à l'occasion de la fête de l'Aïd-El-Kébir. Beaucoup d'autres gestes du quotidien participent à se faire une bonne opinion de l'autre, dans la durée, dans la confiance. Dans les cités, à l'occasion du mois de Ramadan, beaucoup de jeunes qui ne sont pas musulmans jeûnent par solidarité avec leurs camarades. Par ailleurs, nombreux sont ceux qui, lorsqu'ils se saluent, portent la main sur leur cœur comme le font leurs amis musulmans. Ces signes célèbrent les petits riens, indicibles, qui font avancer cette idée de l'intégration… mais ils ne font pas le poids, dira-t-on, devant les médias, intellectuels, politiques, qui préfèrent s'embraser durant des mois sur une « affaire » du foulard islamique que deux jeunes filles d'origine marocaine ont décidé de porter au collège, comme ce fut le cas en 1989, au risque d'entraîner par réaction l'adhésion de milliers de jeunes filles musulmanes au port de ce foulard par goût de la bravade. À n'en pas douter, la croisade des laïcistes contre le foulard a amorcé un sentiment d'indignité chez les musulmans et la thèse de la diabolisation de l'islam chez « les occidentaux ».

Un autre phénomène anodin mérite aussi d'être évoqué. Le 25 décembre de chaque année, la plupart des familles de culture musulmane de France célèbrent la fête de Noël à leur façon, civilement, pour leurs enfants, avec ou sans sapin, mais elles marquent ainsi symboliquement leur enracinement tranquille dans ce pays et un rapport souple à leur foi. Le réveillon est devenu une occasion de rencontre familiale pour tous. Cette pratique sociale, qui signifie beaucoup en terme d'intégration, est à confronter à l'information qui vise à présenter l'islam comme la « seconde religion de France », avec ses 5 millions d'adeptes et l'occasion pour nous de dénoncer cette déduction trompeuse, car tous les musulmans ne sont pas pratiquants, loin s'en faut. Un sondage IFOP-*Le Monde* réalisé en 2001 sur la pratique de l'islam en France montrait que les plus assidus à la prière étaient les Tunisiens, suivis des Turcs, des Marocains (27 %) et des Français, et enfin des Algériens avec seulement 13 %.

Les statistiques montrent donc clairement que le taux de pratique des musulmans se rapproche de celui des autres confessions en France. Dans la réalité, ces croyants disposent, selon le ministère de l'Intérieur, d'environ 1 500 lieux de cultes mais de seulement 8 mosquées architecturales (à Paris, Lyon, Montpellier, Évry, Mantes-la-Jolie, Roubaix...). Cette carence en termes de structures et de reconnaissance sociale est souvent le fait des résistances des collectivités locales qui usent de leur droit de préemption et d'expropriation pour empêcher la construction de ces lieux de culte, mais il faut aussi signaler la responsabilité des musulmans eux-mêmes dans ce retard. Comme leurs nombreuses associations religieuses sont souvent liées à leur pays d'origine, le champ est ouvert aux influences étrangères financières et politiques dans la lutte pour la légitimité représentative des musulmans de France. Les récents progrès du ministre de l'Intérieur dans l'organisation d'un islam de France sont susceptibles dans les années à venir de faire progresser la reconnaissance de cette religion en France.

Il faut enfin faire remarquer que dans tous les lieux où cohabitent les religions, là où ont été bâties des mosquées, on ne note pas de tensions particulières entre les communautés religieuses.

Un exemple historique à méditer :
Hadj Philippe Grenier,
premier musulman député
1865-1944

Philippe Grenier, né à Pontarlier le 14 août 1865, est le premier député musulman de l'histoire parlementaire française. Il est l'élu du très catholique département du Doubs. Fils d'un notable de Pontarlier, il a fait des études de médecine. Par sa mère, il descend d'une petite lignée de parlementaires locaux. À 29 ans, il part rendre visite à son frère en garnison en Algérie et se prend de passion pour ce pays et son peuple. Il apprend l'arabe, visite les mosquées, sympathise avec les gens, puis sa vie bascule lors d'une épreuve : gravement malade, il est entre la vie et la mort pendant des semaines. Sur la suggestion d'un ami arabe, il invoque Allah et guérit. Dès lors, il se convertit, part en pèlerinage à La Mecque et devient *hadj*. De retour dans le Doubs, le jeune homme en djellaba étonne évidemment les gens du pays, mais il reste pourtant le bon docteur Grenier, disponible, prévenant, généreux. Il est élu au conseil municipal de Pontarlier.

Le 15 octobre 1896, quand le député de Pontarlier Dionys Ordinaire meurt en cours de mandat, sa succession semble acquise à son fils, Maurice, chef de cabinet d'un ministère important, conseiller général. À l'élection complémentaire organisée en décembre, il affrontera Émile Grillon, ancien président du Conseil général. Les électeurs ne se passionnent guère pour ce duel de notables jusqu'à la candidature de Philippe Grenier, sous l'étiquette radical-socialiste. Partisan de « la liberté absolue des religions », il réclame aussi « l'organisation

.../...

de restaurants populaires à bon marché pour les indigents et de bains publics et gratuits dans toutes les communes ».

Les élections ont lieu. Maurice Ordinaire, encore méconnu, arrive derrière Grillon et devant Grenier qui remporte 1 671 voix : un score très insuffisant pour songer à se maintenir au second tour, mais il refuse pourtant de se désister, prétextant qu'il n'en a « pas le droit, qu'Allah veut qu'il enseigne sa religion à la Chambre ». Maurice Ordinaire, pour tenter de conserver au chaud sa circonscription jusqu'aux élections générales prévues un an et demi plus tard, et éviter que Grillon s'en empare, se retire et appelle ses partisans à voter pour Philippe Grenier. À la grande surprise générale, le musulman, médecin des pauvres, est élu par 5 141 voix contre 4 856 !

Lors de chacune de ses apparitions à l'Assemblée Nationale, le député barbu, en gandoura, fait une énorme sensation, drapé d'un grand burnous blanc, la tête coiffée d'un magnifique turban, chaussé de fabuleuses bottes marocaines en cuir rouge. Au bord de la Seine, le député se prosterne vers l'Est, procède à ses ablutions rituelles en recueillant un peu d'eau dans ses mains pour y plonger visage et barbe, avant de revenir à la salle des séances.

À Paris, le député arrive en pleine empoignade. La Chambre doit se prononcer sur l'élection de l'abbé Gayraud à Brest, que certains voudraient faire annuler pour « ingérence cléricale ». Grenier demande la parole, se présente à la tribune et s'incline en portant la main à son front et fait le salut de la paix ! Henri Brisson, qui préside la séance, s'insurge aussitôt : « La Chambre me permettra sans doute de faire remarquer à qui de droit que les chambres législatives ne sont pas faites pour les manifestations d'un culte *(applaudissements)*, mais simplement pour la discussion des lois et des propositions qui leur sont soumises. » Impavide, Grenier vole au secours du curé breton. « Messieurs, en prenant aujourd'hui pour la première fois la parole parmi vous, je tiens à vous remercier des sentiments de tolérance dont vous avez fait preuve à mon égard au moment de la validation de mon élection, et si aujourd'hui je viens prendre la défense de l'abbé Gayraud, c'est au nom de ces mêmes sentiments de tolérance, de liberté et de justice dont vous avez fait preuve lors de l'examen de mon élection. » Sur les bancs, des députés manifestent leur approbation. « L'ingérence du clergé ne me paraît pas mériter qu'on y attache grande importance ; dans toutes les élections, aussi bien dans la mienne que celle de la plupart d'entre nous, l'ingérence du clergé s'est produite *(mouvements divers)*. Les prêtres se sont occupés de politique militante. C'est un devoir pour eux comme pour tous citoyens de ne pas rester en dehors des luttes électorales. Le prêtre dispose de son église comme le socialiste dispose des clubs ; nous n'avons pas le droit d'y mettre obstacle. Le prêtre doit avoir une absolue liberté. »

Très vite, le député enturbanné devient la bête noire du président Brisson, qui voit l'habit de Bédouin comme un outrage à la dignité de la Chambre. Parlementaire assidu, Grenier a un avis sur tout, il assiste à toutes les séances, égrenant toujours le chapelet de l'Islam. Il devient rapidement le défenseur des musulmans des colonies, s'insurge contre les « lois d'exception » qui régissent les indigènes, réclame l'égalité des droits pour tous les habitants du territoire français. « Je suis persuadé qu'il y a un intérêt capital, non seulement pour la sécurité de nos colons d'Algérie, mais encore pour le développement et la grandeur de la France, à ce que les Arabes soient instruits aussi bien que peuvent l'être les Français. La race arabe n'est pas une race tombée en

.../...

pleine décadence, loin de là ; elle a eu aussi ses temps de grandeur et de civilisation comparables à ceux de la race française. » Il annonce même son grand projet : la création d'une médersa dans la capitale ! « Je désire amener ici de jeunes musulmans pour les faire instruire à Paris et pour en faire un jour de vrais Français. »

Patriote et musulman, il prône la formation de nouveaux contingents indigènes, destinés à défendre la métropole elle-même. « Pensez-vous que ces hommes, qui quelquefois meurent de faim dans leurs tribus, ne seraient pas heureux de manger fraternellement la gamelle avec nos troupiers ? » Il imagine de faire accéder, par le métier des armes, les musulmans de l'empire à la citoyenneté. « L'armée est non seulement une école d'honneur et de patriotisme, mais aussi une école où le sentiment moral de l'homme s'élève. Pourquoi laisser à eux-mêmes, à leurs préjugés séculaires, les indigènes qui nous sont inférieurs comme instruction et civilisation ? Pourquoi ne pas les faire venir sur le territoire français ? Quand ils seront parmi nous, ils s'instruiront à notre exemple ; ils rapporteront dans leur pays les idées françaises et feront connaître chez eux la France et sa civilisation. »

Un autre jour, alors qu'il est question d'encourager l'amélioration de la race chevaline, Grenier développe son projet d'une cavalerie arabe au service de la République française. « Ne serait-il pas possible, en donnant des primes plus importantes à l'industrie chevaline, d'utiliser les aptitudes particulières des Arabes et leur permettre de répandre un peu de bien-être dans les pauvres tentes du désert ? Messieurs, si vous pouvez augmenter de 100 000 francs le crédit qui vous est demandé, soyez convaincus que les Arabes en seront très reconnaissants... Je suis persuadé qu'avec les tribus nomades, avec les magnifiques chevaux élevés dans ces tribus, nous pourrions donner à notre armée les ressources qui lui font défaut pour sa cavalerie; nous trouverions ainsi à peu de frais en Algérie des cavaliers intrépides et des chevaux capables de supporter toutes les intempéries et toutes les fatigues de la guerre. »

Homme sincère et droit, Grenier est soucieux de moralité et combat vigoureusement l'alcoolisme, demande la diminution du nombre des débits de boisson, la taxation des liqueurs. Cela va lui coûter son siège : la légendaire absinthe de Pontarlier fait vivre tout le pays du Haut-Doubs. Battu en 1898, il abandonne la politique après avoir été le premier député français musulman pendant quinze mois. Ses électeurs ne l'avaient pas élu pour représenter les musulmans ! Pourtant, jusqu'à la fin de son mandat, il se fait le porte-parole de ces millions de colonisés qu'il appelle « mes coreligionnaires », s'élève contre les spoliations dont ils sont victimes. Ses propos se perdent dans l'indifférence générale. À droite comme à gauche, on se moque bien des droits des autochtones. Il lutta comme il put afin de « ne pas déposséder du sol qui les fait vivre les populations arabes et kabyles » et éviter à la France de « constituer une armée de malheureux qui serait un jour des plus dangereuses pour la sécurité de la colonie. » Il mourut le 25 mars 1944, sans voir l'insurrection de la Toussaint rouge du 1er novembre 1954 qui lança le déclenchement de la guerre d'Algérie.

« L'intégration, c'est pouvoir choisir son lieu d'inhumation. »

Mon père est mort.
Sur l'épitaphe de sa tombe, dans le cimetière de Guejel,
dans la campagne sétifienne, en allant vers le beau massif
des Aurès, j'ai tenu à ce que l'on inscrive :
« Décédé le 7 avril 2002 à Lyon »,
pour bien marquer l'incroyable voyage accompli.

Azouz Begag

Récemment, j'ai revu des photos des premières grèves de la faim des jeunes d'origine immigrée des Minguettes de 1981, de la fameuse Marche des beurs de 1983, initiée par le père Christian Delorme... Vingt ans se sont écoulés dans l'histoire de France, vingt ans au cours desquels les débats sur l'immigration, les banlieues, l'intégration ont fondé des enjeux de premier plan. Vingt ans, sans qu'il y ait de véritable fusion entre les gens d'ici et les gens d'ailleurs. L'issue des dernières élections législatives de juin 2002 a consolidé cette note pessimiste. Dans les quartiers sensibles, la plupart des jeunes d'origine immigrée se sont sentis une nouvelle fois humiliés, offensés par leur absence de représentation dans l'arène politique nationale. Le sentiment de ne pas avoir encore sa place dans la société, de ne pas être *considéré* dans le système socio-politique, a progressivement nourri le désir de nuire au fonctionnement de la société pour exister.

Si, du point de vue socio-politique, le chantier de la reconnaissance des Français d'origine immigrée est encore vaste, en matière d'urbanisme, on en est arrivé au constat qu'il faut démolir les grands ensembles. Ces lieux de logement concentrationnaire de la classe ouvrière ont été des espaces de broyage, de dilution de l'immigration dans l'urbain. Les jeunes qu'on rencontre aujourd'hui dans les cités des banlieues françaises me paraissent plus ressembler à ceux que l'on croise à Los Angeles ou New York qu'à ceux d'Alger, Bamako ou Kinshasa. L'écart d'identité entre les parents et les enfants d'immigrés auquel nous nous intéressions il y a dix ans s'est finalement transformé en dichotomie rural-urbain.

Ces immeubles de banlieue de dix, vingt étages ont fait leur temps. Ils sont devenus anachroniques dans le paysage urbain contemporain. Ils le sont encore plus avec les innombrables antennes paraboliques qui fleurissent sur leurs façades, reliant le pays d'ici à la terre de là-bas. L'invention de l'ascenseur a tout changé dans la communication sociale. Il a ôté aux gens une valeur essentielle de leur existence : le rapport direct à la terre. Les citadins ont perdu le sens de marcher pieds nus sur le sol. Les jeunes des banlieues se chaussent de *Nike* ou *Reebok*, chaussures de sport américaines à cent dollars !

Mon père Bouzid, paysan du bled reconverti en maçon pour les besoins de l'industrie française du BTP, est mort en avril 2002 à Lyon, ville où il aura passé cinquante ans. Entre *garnis*, bidonvilles et ZUP, précisément à la Duchère, une cité où, fin 2002, deux voitures ont été lancées contre la synagogue, où l'été d'avant des jeunes en ont balancée une autre dans la piscine pour protester contre l'interdiction du port du short pour la baignade... Avec ma famille, nous étions arrivés dans ce quartier en

1969. Mes parents y habitaient toujours, dans le même immeuble, jusqu'au mois d'avril. Les jeunes avaient l'habitude d'apercevoir régulièrement mon père, traînant ses 80 ans sur l'avenue, courbé sur sa canne, lorsqu'il se rendait à la mosquée ou dans la galerie marchande du quartier faire quelques courses. Ils l'apercevaient, mais ils ne savaient rien de lui. Ils ont dû se demander pourquoi, le jour de sa mort et trois jours durant, des dizaines de personnes, amis, proches, voisins connus et inconnus, sont venues au domicile du défunt pour présenter leurs condoléances. Ils ont dû se demander qui était ce personnage considérable qui venait de disparaître.

Ces jeunes le regardaient passer devant eux, mais ne le voyaient pas. J'aurais aimé leur raconter l'incroyable épopée de ce vieil homme, né dans un village miséreux de l'Est algérien, qui a vécu de longues années sous le joug du riche propriétaire terrien qui possédait toutes les terres arables de la région, et qui, malgré tout, a tenu bon pendant presque un siècle. J'aurais aimé leur dire simplement : « C'est mon père qui est mort. » Il s'était arraché de sa condition misérable en 1949 pour venir vendre sa force de travail en France, alors qu'il était complètement analphabète, qu'il n'était jamais sorti de son village. Bel exemple de courage, de ténacité, d'humanité. 1949 ! Cela faisait déjà plus de cinquante ans. Cinquante ans en France, sans mettre les pieds dans un cinéma, dans un restaurant, sans voyager. Cinquante ans à travailler, seulement. Cinquante ans de sacrifice pour faire de ses enfants des gens avec un statut social supérieur au sien.

Il a réussi.

Begag Bouzid, présumé né en 1913 en Algérie, dans le département de Sétif. Non francophone.

Au fond, l'écart d'identité est là, entre ces jeunes et mon vieux père, entre ces deux mondes qui cohabitaient dans le même immeuble. J'ai pensé que, pour combler quelque peu ce fossé, il aurait fallu former un cortège avec tous ces gens venus offrir leur témoignage d'amitié à ma mère en ce jour de deuil, et porter le corps de mon père à travers les immeubles de la cité pour le montrer aux habitants, aux jeunes surtout, leur dire : Voyez ! Cet homme a *bien vécu.* Il était analphabète, non francophone (comme Thomas Payne), mais finalement – comble de l'ironie – il était intégré… à lui-même. Équilibré.

C'est à ce moment qu'une idée a jailli en moi comme une conclusion. Il faut construire des cimetières au sein des cités de banlieue. Des cimetières. Pour faire pousser la notion de mort naturelle, de profondeur, de durée, de sens, dans ces cités où l'on meurt plutôt d'une balle perdue, d'une overdose, au volant d'une voiture de forte cylindrée dans un rodéo, d'une agression, d'un accident, d'un suicide. Dans ces lieux, même la mort est habillée de violence, associée à la vitesse, à l'urgence, à l'éphémère, au vide, à la perte de sens, de goût. Dans les quartiers, on meurt *vite*, sans prendre son temps.

Il faut construire des cimetières pour que, progressivement, les vieux qui ont donné naissance à ces jeunes reposent en paix là où ils ont vécu la plus grande partie de leur vie, et que la continuité entre les générations puisse être assurée. Les jeunes des cités doivent pouvoir aller se recueillir sur la tombe de leurs parents, dans leur quartier. Recueillir, le mot sonne juste.

Se retrouver.

Ces jeunes, mon père avait fini par en avoir peur, ces dernières années. Il a vu la dégradation des choses.

Il ne comprenait plus rien à l'expression de haine au bas de l'immeuble, dans l'ascenseur, sur le parking. Il les pensait même capables de l'agresser pour lui prendre son argent ou simplement par jeu. Il disait : « Moi je suis parti de rien, et j'ai construit une vie, avec une famille, j'ai fait bâtir une maison au pays, et eux, ils ont tout à portée de main, ils détruisent tout ! Quel étrange monde ! » Il avait peur d'eux, parce qu'il savait qu'ils ne le connaissaient pas, qu'ils ignoraient tout de sa grande histoire. Qu'ils ne le reconnaissaient pas.

Il eût fallu montrer le corps de mon valeureux père à ces jeunes. Leur rappeler qu'il est le héros d'un roman. D'une vie. Il est mort, aujourd'hui, mais son œuvre restera, toujours.

Les architectes et les urbanistes devraient repenser le paysage des cités en y greffant le cimetière traditionnel, de la terre, beaucoup de terre, celle si chère aux paysans, aux semences, à la vie. Celle que nos pères ont abandonnée dans leurs belles campagnes kabyles, il y a cinquante ans, pour venir louer leur force aux industriels français.

Ce qui provoque l'amertume, au fond, c'est que non seulement la société française a négligé l'apport considérable de ces travailleurs immigrés à la construction du pays, mais que les enfants et les petits enfants ignorent ce qui *s'est passé* ou bien n'ont pas de respect pour ce *passé*. La cassure est flagrante. Bien sûr, toute la question gravite autour de la mémoire, celle des gens, celle des lieux, celle du temps. Il faut planter des pilotis pour que se posent de nouvelles générations dans une société, malgré la pertinence de cette remarque que m'a adressée un jour un jeune de ma cité : « À quoi ça sert d'avoir de la mémoire, quand on n'a pas d'avenir ? » J'ai répondu que, justement elle servait à se construire un avenir. En souriant, il m'a dit que je cherchais à « l'embrouiller ».

Mon père est mort. Sur l'épitaphe de sa tombe, dans le cimetière de Guejel, dans la campagne sétifienne, en allant vers le superbe et silencieux massif montagneux des Aurès, j'ai tenu à ce que l'on inscrive : « Décédé le 7 avril 2002 à Lyon », pour bien marquer l'incroyable voyage accompli.

Conclusion

Notre histoire de l'intégration prend fin ici. Désormais, dans les oreilles des habitants d'origine immigrée des quartiers, le mot *intégration* résonne difficilement, d'une manière agressive, insultante, presque provocante. À juste titre : si l'on considère qu'il a surgi dans le débat social au début des années quatre-vingt, cela fait plus d'une génération qu'il charrie son lot d'ambiguïtés, de confusion et de tromperies. Alors, les jeunes issus de l'immigration ont raison de proclamer son obsolescence, sa mort. Ils sont devenus des jeunes des cités, des quartiers, des banlieues, des gens d'ici. Des Français.

Le mot intégration s'est fané. Il a séché, pour cause de trop d'inconsistance. Il ne colle plus du tout aux enjeux contemporains dans les quartiers sensibles. Dedans, les jeunes y sont. Au beau milieu. Dedans, ils y sont même nés ! Voilà pourquoi le mot intégration est devenu soudainement anachronique. Il a fait son temps. On pourrait ajouter qu'il a été astucieusement manipulé par les différentes tendances politiques pour servir des discours plats, sans obligation d'engagements pour ceux qui les tenaient, et que ces derniers ont fini de galvauder le sens qu'il véhiculait. Le nouveau président de SOS Racisme, dans *La France aux Français : chiche !*, en attribue même la paternité à son prédécesseur ! « C'est dans ce contexte qu'on s'est mis à employer le terme d'intégration. Utilisé pour la première fois par Harlem Désir en 1986 au cours de « L'heure de vérité » il permet à tout le monde de s'y retrouver. » En réalité, ce terme existait au temps de la colonisation française en Algérie. Il est loin d'être vierge historiquement.

Alors merci et adieu l'intégration. Le débat concernant la soi-disant *intégration* des jeunes des quartiers sensibles doit maintenant être recentré autour de leur *présence* en France, leur pays, autour de la traque, l'identification et la levée des discriminations liées au faciès ou à l'adresse. De la véritable représentation politique, non pas celle faite d'individus manipulés par les partis, mais de responsables, des *dérouilleurs*, réellement légitimés par leurs électeurs dont ils seraient les porte-parole. La question de savoir comment inventer cette participation démocratique demeure béante, tant la crédibilité du politique – dans les quartiers d'exclusion, mais pas exclusivement – est éprouvée. À l'aube du troisième millénaire, le besoin d'inventer un nouveau concept de reconnaissance sociale, moderne, ainsi que de nouvelles formes de participations à la démocratie, est patent. En fin de compte, ce processus appelé « intégration » ne sera vraiment réalisé que lorsqu'on n'aura plus besoin d'en parler. Alors, n'en parlons plus et agissons.

"

ANNEXES

Pour aller plus loin

Un **guide très complet** et fort utile pour se retrouver dans les méandres de l'intégration, avec des chiffres, des idées reçues démontées, des témoignages instructifs et des adresses : Jean-Michel Blier, Marina Julienne, *L'Intégration sans tabous. Idées fausses, clichés, réalités* (Guide France-Info, Éditions Jacod-Duvernet, 2002).

Michèle Tribalat, *Faire France. Une enquête sur les immigrés et leurs enfants* (La Découverte, 1995). On pourrait qualifier l'auteur de « **réaliste de l'intégration** », dont les recherches essaient d'extraire les débats du blabla et de leur donner un contenu mesurable. Ses résultats montrent l'évolution de la fusion dans le creuset français des différents groupes d'immigrés.

Puisque l'intégration se fait toujours à deux, on lira avec intérêt Yvan Gastaut, *L'Immigration et l'opinion en France sous la Ve République* (Seuil, 2002), pour comprendre ce que les uns pensent des autres… et l'évolution de **l'opinion publique** au cours du temps et des événements.

Pour comprendre la formation des **États-Unis** d'Amérique version *Les Raisins de la Colère*, je conseille vivement le livre de Stephen Steinberg, *The Ethnic Myth. Race, Ethnicity, and Class in America* (Beacon Press, Boston, 1989, seconde édition).

On lira Nacira Guénif Suilamas, *Des « Beurettes » aux descendantes d'immigrants nord-africains* (Grasset/*Le Monde*, 2000), pour avoir une solide idée de la déclinaison au **féminin** de l'intégration.

Une très fructueuse lecture pour se faire une idée de la construction au cours de **l'histoire** de la nation française, de l'indispensable rôle de l'État pour garantir les solidarités et assurer l'intégration des immigrés : Jacques Verrière, *Genèse de la nation française* (Flammarion, « Champs », 2000).

Un de ces livres incontournables vers lequel on revient régulièrement pour se replonger dans la grande histoire de France et de ses étrangers : Yves Lequin (sous la direction de), *La Mosaïque France. Histoire des étrangers et de l'immigration* (Larousse, 1988).

Sur un registre moins académique, on lira avec intérêt Jean Faber, *Les Indésirables. L'Intégration à la française* (Grasset, 2000), une puissante et caustique analyse de **l'intégration à la française** vue par un homme de terrain, qui bouscule à sa façon les idées reçues sur l'intégration, et avec laquelle je me sens en parfaite symbiose.

Sur l'histoire de **Philippe Grenier,** premier député musulman à l'Assemblée Nationale, on lira Louis Barthou, *Le Politique*, (Hachette, 1923).

Dans la même collection

Arts & Culture

L'Art contemporain, Isabelle de Maison Rouge
La Bande dessinée, Benoît Mouchard
La Chasse, Xavier Patier
Le Chocolat, Khaterine Khodorowsky & Hervé Robert
Le Cinéma, Michel Pascal
La Culture américaine, Adrien Lherm
La Mode, Gilles Fouchard
Mozart, Dimitri Dratwicki
Noël, Martyne Perrot
Picasso, Isabelle de Maison Rouge
La Science fiction, Stéphane Manfredo
Les Surréalistes, Anne Egger
Le Vin, Jean-François Gautier
La Voile, Olivier Le Carrer

Économie & Société

Les Adolescents, Michel Fize
La Famille, Michel Fize
L'Adoption, Fanny Cohen-Herlem
Le Bac, Georges Solaux
Les Banlieues, Véronique Le Goaziou & Charles Rojzman
La Bourse, Thierry Malandain
Le Développement durable, Assen Slim
La Drogue, Bertrand Lebeau
L'École, Vincent Troger
Les Fonctionnaires, Luc Rouban
La Géographie contemporaine, S. Allemand, R.-É Dagorn, O. Vilaça
La Graphologie, Denise de Castilla
Les Homosexuels, Gonzague de Larocque
L'Intégration, Azouz Begag
Internet, Jacques Henno
Les Jeux vidéo, Jacques Henno
Les Journalistes, Élizabeth Martichoux
La Laïcité, Pierre Kahn
La Lecture, Jacques & Éliane Fijalkow
Les Lesbiennes, Stéphanie Arc
La Mafia, Thierry Cretin
Le Marketing, Brice Auckenthaler
Les Médecins, Bertrand Condat
Les Militaires, Line Sourbier-Pinter
La Mondialisation, Jean-Claude Ruano-Borbalan & Sylvain Allemand
Les Patrons, Thierry Malandain
La Prison, APERI
La Prostitution, Malika Nor
Les Retraites, Jean-Louis Guérin & Florence Legros
Les SDF, Véronique Mougin
Le Sport, Michel Caillat
La Télévision, Isabelle Gougenheim & Yves d'Hérouville
Le Terrorisme, Arnaud Blin
Les Vacances, Jean-Didier Urbain
La Violence, Véronique Le Goaziou

Pour nous faire part de vos remarques,
critiques et suggestions,
être informé de l'actualité de la collection
et de la maison d'édition,
prolonger le dialogue avec les auteurs,

consultez notre site internet :
www.ideesrecues.net

ou écrivez à :
editorial@lecavalierbleu.com

Responsable éditorial : Marie-Laurence Dubray.
Remerciements de l'Éditeur à Maryse Claisse, Bérengère Gaullier,
Angélique Gosselet, Tiphaine Jahier.

Imprimé en France en mars 2006 sur les presses de l'imprimerie
Darantiere à Quetigny.

Diffusion : Harmonia Mundi.